中国は社会主義か

芦田文夫
井手啓二
大西　広
聴濤　弘
山本恒人

中国特色社会主义!?
MARKET SOCIALISM?
STATE CAPITALISM?

かもがわ出版

まえがき

「改革開放」を掲げた中国が1992年、社会主義市場経済を打ち出してから30年近くが経ちました。この間、中国は経済的に巨大な成長を遂げ、世界の中で突出した存在感を持つようになります。それとともに、当初は国際政治において控えめに見えた中国ですが、軍事強国ともなってアメリカをも恐れない主張と行動をするようになり、周辺諸国との軋轢も深まっています。

その中国が「社会主義」を標榜していることが、これまで社会主義を支持してきたり、シンパシーを感じてきた人々はもとより、冷静な研究者の間でも議論を生み出しています。「これこそ社会主義だ」という人から「社会主義とは正反対だ」という人まで、さまざまな主張が闘わされています。中国の現実の中には、これまでの社会主義の思想、運動、体制とは異なるところがあるだけに、対立した議論になるのは避けられません。しかし、どこがなぜ対立しているのか、どこで一致できるのかなどが明らかになることが、議論が有益なものになる上で欠かすことができません。

そこで弊社は、京都現代中国研究所との共催、全関西の日中友好協会の後援で、『中国は社会主義か⁉』と題するシンポジウムを開催し（19年12月21日）、この問題の専門家である4人をシンポジストとして（芦田文夫氏、井手啓二氏、大西広氏、山本恒人氏）、1人をコーディネーターとして（聽濤弘氏）お招きしました。それが本書の著者5人です。

当日の議論を意味のあるものにするために、コーディネーターの問題提起に応えて事前に長文の論考を提出していただき、全員がすべての論考に目を通した上で、他の論考に対する事前の質問も出してもらうような方式をとりました。討論では、第1に、主に中国を経済的社会構成体としてどう捉えるか、第2に、社会主義なり資本主義といった場合、その基準をどこに求めるのか、第3に、一党支配と覇権主義は社会主義の基準とどう関係するのか、しないのか、という3つをテーマにしました。

本書は、それら事前の文書、当日の報告と議論、聴衆とのやりとりなどをふまえ、新たに書き下ろしていただいたものです（順序は50音順）。事前の諸文書も巻末に収録しました。

この日本の政治経済体制を見直す上で、またよりよい日中関係をつくっていく上で、中国の主張と行動をどう評価するかは、1つの大きな要素になります。本書が、中国に関心を寄せている人々、日本の改革を熱望している人々の間で、有意義なものとして受け入れられることを期待します。

2020年5月　かもがわ出版編集部

もくじ●中国は社会主義か

資料編もくじ●シンポジウム「中国は社会主義か⁉」（19・12・21）

I

「21世紀・社会主義」のあり方

芦田文夫

一、何を課題とするのか

経済学を専門とするものとして、旧ソ連や東欧の「20世紀に社会主義をめざした」国々との対比の視点から、中国に関して幾つかの問題を提起してみたい。社会学や政治学などからは別のアプローチがありうるであろうが、今後の諸領域からのつき合わせを期待するものである。いま、中国に対するいろいろな関心が高まっているが、あまり時局論的なムードに流されないで、中国が直面する課題をできるだけ深くその社会経済構造にそくして理解していく、ということに役立つような論議のキッカケになっていくのを願っている。

私が何よりも強調したかったのは——「21世紀に社会主義をめざす」ものとしての在り方である。それは、なによりも人間・個人の権利と尊厳ということが基礎となり基軸に据えられていく、そしてそれらが協同（アソシエーション）しあって、対自然と対社会の諸関係を主体的に主人公として自分たちが統治・制御していく、という内実である。これに対して、「20世紀に社会主義をめざした」国々は、体制においても運動においても、資本主義の側での体制的危機と「国家の介入」からする促迫の下で、「国家」が上から支配・包摂していくという大きな枠組みを脱し切れなかった（対内的には企業・組織や個人に対する「専制主義的」な点でも、また対外的には「覇権主義的」な点でも）。「21世紀」はそのような構造的なあり方全体を基本的に逆転させていくべき時ではないのだろうか、ということである。

「20世紀に社会主義をめざした」国々における「経済改革」＝「市場経済」の導入は、どこにおいても、まず「生産物の市場化」の段階（いわゆる「第1段階」）から始まっていった（ソ連・東欧では60年代半ば、中国では78年末「改革・開放」）。労働者や企業が生産した生産物が賃金や利潤（生産費用を越える剰余）として分配されていくときに、それぞれの活動が良いか悪いかによって差をつけていくようにするのである。たしかに、それはこれまで「国家」＝「社会的所有」の指令的計画の下で一枚岩的に覆われていた「経営」（企業組織）と「労働」（個人）の機能を蘇生させ自立化させていくことになった。それは、分権化へ向けての民主化の一歩をふみ出すものとして、一般に積極的に評価された。

ところが、その剰余を利用していくさい企業の自主性に委ねられる部分が増えていき、それが賃金にだけでなく企業が自主的におこなう投資（生産手段の拡大）にも廻してよいということになっていく。もともと、生産された生産物の良し悪しはそれぞれの資本の自立的効率的な利用の仕方いかんにも依存してくることから、「生産手段（生産要素）の市場化」にも必然的に及んでくるようになる（「第2段階」、ソ連・東欧では80年代、中国では92年「社会主義市場経済」）。そうすると、その「生産手段の自立的・効率的な利用」ということと「人間労働」との関連が改めて問い直されてくるようになる。生産物の分配過程だけにとどまらず、労働―生産過程においても「市場経済」化の作用が問題になってくるのである。資本主義では、人間の労働と生活を犠牲にして、生産手段＝資本の剰余価値・利潤の増大が第一義的に追求されていく。「社会主義をめざす」とするならば、その関係を逆転させるようなメカニズム・制度化が必要になってくるであろう。

このことが、いま「中国は社会主義か」とあらためて問われるようになる事態の根底にある社会経済的課題ではないかと考えるのである。企業は生産と経済の場であり、人々の生活向上を生みだす原動力となる組織である。諸個人・民衆一人ひとりの自立性と同様に、企業などの組織や地域・コミュニティーの次元においてもそれぞれの自主性を容認し、その経営や管理の自立性と効率性を保ちながら、そこにおいても労働者や民衆が主人公として立派に統治・制御していくことができる、という実を示していかなければならない。そのことが今、具体的に問われ求められようとしている。

ソ連や東欧では、この課題の解決に成功しなかった。企業の自立化は進んだが、それを下から統御する労働者や国民の民主化の動きは著しく立ち遅れ、企業や経済の管理・経営が結局は「旧・新ノメンクラトゥーラ（旧ソ連で党や国家の幹部名簿に載せられた特権層）」の横奪に終わってしまった。「変質—崩壊」のさいの連邦—民族問題や「コメコン体制」などの対外的な「覇権主義・大国主義」の要因は確かに強調されるべきであるが、対内的な「専制主義」と社会経済構造との関連にそくした解明は、まだ充分なされていないように思われる。そしてこの問題には、先進資本主義国の私たちにとっても、経済を社会的に規制し管理していく仕組み、労働権・生活権にかかわる基準や制度化（ルールある経済社会）など、経済の民主主義的変革に取り組んでいこうとするとき、さらに深められていくべき共通な課題が残されているのではないか、と考えるのである。

二、「社会主義をめざした」国々——20世紀と21世紀

19世紀から20世紀の境目にかけて、資本が独占的となり・国際的となる新たな「帝国主義」の段階を迎える。現代の主導的な歴史家の一人ホブズ・ボーム（英）は、第1次世界大戦—大恐慌—第2次世界大戦へと至る20世紀の前半によって性格づけられた歴史の大局的な流れを、「極端な時代」「最も残酷な世紀」という言葉で表現しようとしていた（『20世紀の歴史』三省堂）。科学技術の未曽有の発展の傍らで、戦争や大量殺戮や飢餓など、人間による人間の破滅の人類史上かつてない記録を残した世紀であった。先進国でも住民の何割という大量失業と生活破壊が襲った。しかし、これに抗する人間の基本的な自由と権利—平和的な生存権と民族の自決権が広く市民権を獲得するようになり、国民主権が普通選挙権や婦人参政権などで質的に伸展し、労働権・生存権・社会権も新たに確立をみるようになった。そのような20世紀の経過全体を、次のような3つの小段階に分けてフォローしようとしていた。

(1)「破局の時代」(1914年〜第2次世界大戦終了)

二つの世界大戦に続いて、地球的な規模での叛乱と革命が起こり、資本の体制的な危機が深刻になる。第1の波は、地球人口の6分の1以上のところで(ロシア)、第2の波は、3分の1以上のところで(東欧、中国、アジアとラテン・アメリカの一部)、資本主義体制からの離脱が試みられるようになる。これらは、資本主義の発展が相対的に遅れた国々で、帝国主義段階における内外の矛盾がもっとも集中して現れていたところであった。

帝国主義列強による植民地・従属国争奪のための長期にわたる死闘は、総力戦と国民総動員の体制を不可避とさせ、国家による市場経済への介入を導く。先進資本主義国では、「ニュー・ディール」などケインズ主義的な財政・金融による「マクロ経済規制」と「福祉国家」(「完全雇用」・「社会保障」)の試みが生まれるが、後発資本主義国ではファシズムが台頭する。「ニュー・ディールははじめから専門家による計画と集権的な運用とを予定していた…。民衆の利益関心を管理することによって、民主主義運動を解体した」(福田歓一『デモクラシーと国民国家』岩波現代文庫、58頁)とされる。この「国家から企業へ」という上からの枠組みは、しばしば「コーポラティズム」(協調組合主義)型民主主義とも称されるが、20世紀の大半を覆う特徴をなすものであるように思われる。1930年代以来のスターリンによる「国家」を頂点に立てた上からの一元的な所有・計画・管理の「20世紀・現存社会主義」体制も、資本主義・帝国主義の側からのこの促迫に「覇権主義的に」対抗していくという性格を色濃く帯びていた。

(2)「黄金の時代」(1960年代「高度成長」前後25〜30年の短い後半の一部)

1947年から73年までの異様な経済成長と社会変容、人類史的ともいうべき経済的・社会的・文化的な大転換が生じた。これに比べれば、米ソ超大国の「国家や政府の介入」による世界的覇権＝「冷戦体制」というこの期の特徴は、もっと限定された歴史的意義しかもたないだろうとさえ言われる。

「国家」―「企業」の枠組みが生産過程の蓄積にもち込まれ、巨大企業体制とその大量生産―大量消費、「産業社会」「大衆社会」が形成されていく。この背景には、長い戦争と恐慌の下で押し付けられていた民衆の諸欲求の爆発があった。国民主権の伸長、生活や労働に関わる社会権の確立、そして「農民層の死滅」、中等とくに高等教育の大衆化、女性の労働への進出などの「社会革命」が起こり、さらに耐久消費財（「三種の神器」や「3C」など）による「繁栄と私生活化」、「個人化」「市民化」といった近代の社会構成原理の変化＝「文化革命」につながっていった。

高度成長の経済的メカニズムについては、「レギュラシオン理論」が説くような市場経済に対する社会の側からの調整の制度（その5つの制度諸形態―「賃労働関係」「競争形態」「貨幣制度」「国家」「国際関係」）が特徴づけられるであろう。その中心に座るのが「賃労働制度」で、生産工場ではテーラー主義的労働・生産編成による搾取の強化があり、それが「生産性インデックス賃金」にもとづく利益配分や福祉国家の完全雇用・社会保障などによって国家の介入の下で調整・妥協させられていく。それが基軸となって生産財部門と消費財部門、大量生産―耐久消費財―大量消費の好循環（「内包的蓄積体制」）、高度経済成長がもたらされていった、とされるのである。

「20世紀に社会主義をめざす国々」―まずソ連・東欧で「経済改革＝市場経済化」の第1段階が始まるのは、この「黄金の時代」においてであった。1930年代いらい形成されてきた「国家による上から」の一元的な所有・計画・管理の方式が、60年代頃から「内包的経済発展」の段階（労働力や投資の量的拡大にたよるそれまでの「外延的」方法とは違って、技術革新や質の向上が求められるようになる）に達すると成長のダイナミズムを失い、市場経済の導入によって企業や労働者の「自主性」と「効率性」を高めていく措置をとらざるを得なくなったのである。しかし、それは続く「危機の時代」に至るや、さらに進んで労働者や国民、市民のレベルへ民主主義を深化させていくことができなかった。

(3)「危機の時代」(1970年代初めから、とくに80年代以降)

1970年代の初めには、このような「国家」―「企業」の枠組みによる蓄積の仕組みはすでに破綻をきたすようになっていた。前代未聞の「スタグフレーション(インフレと不況の同時存在)」、投資乗数効果の低下、財政赤字、「政・官・財癒着」の弊害が叫ばれるようになる。それと共に、西側でも東側でも、「市民」を中心とした「新しい社会運動」(人権、女性差別、消費者、住民要求、地方自治、環境、原発…問題などの)や「連帯運動」が一気に叢生してくるようになる。

1980年代以降、「小さい政府」による「市場原理主義」「新自由主義」政策がうち出されるようになり、企業の設備過剰と資本過剰、異常に肥大化した貨幣―金融を主導とする多国籍企業・資本の蓄積と循環が全世界をグローバルに覆うようになり、「金融化」と「投機化」が進む。その「市場経済化」が国の社会経済構造全体のなかに浸透して、矛盾を鋭くさせている。その下では、一方からは、金融危機、銀行危機―財政危機―国家債務危機の悪循環によって、従来の「マクロ経済的調整」制度の弱体化と解体がひき起こされ、他方では、賃金の抑制と社会保障の削減、失業と非正規雇用の拡大、格差と貧困など、これまで獲得されてきた「社会的保護」制度の衰退と解体がもたらされようとしている。

いま、これに抗して「人間の生、人間らしい生活と労働」の回復、民主主義の再生のために、社会経済構造のあらゆる領域と次元から「グローバルな市場経済化」に立ち向かい、「諸個人の自立とアソシエーション」をそれぞれの場で構築していこうとする新たな胎動が起ころうとしている。全般的な「労働改革」「生活・社会保障改革」による社会的な「労働基準・生活基準」とルールの押し上げ、制度の改善、「労働権」「生存権」あらゆる「社会権」をめぐる社会的制度化、その上にたった「企業の社会的責任CSR」に基づく規制と管理が求められようとしている。空洞化と奇形化を極める企業・産業の実体経済の回復、内需主導型で環境重視型の「生活と労働、地域」にねざした「内からの」「下からの」経済社会（市民の生活社会）をどうつくりだしていくか。マクロ経済を、本来の「所得再分配機能」を再生させた税制・財政民主主義にそって再建し、金融に対する民主的規制をどう強めていくか。21世紀に向けては、これらがグローバルに「国家」の枠組みを超えて、全人類的な民主主義の「アソシエーション」の力によって創造されていかなければならないであろう。核兵器廃絶などの「平和的生存権」や「自然環境権」も、このような枠組みのなかでのみ達成しうる。

「**20世紀に社会主義をめざす**」国々の「**市場経済化**」**第2段階**は、まさにこの「危機の時代」への移行とともに開始されていくことになる。それは、「生産要素・生産手段の市場化」を新たな契機とするもので、労働―生産過程における「生産手段の自立的・効率的な利用・管理・経営」と「社会主義らしい人間労働・生活の主体的な優位性、主人公としての管理・制御」との関連、企業に対する社会全体の規制・制御（「企業の社会的責任」）の新たな制度化を必要とするものであった。そこには、21世紀へ向けての自由と民主主義の共通する世界史的な課題が、映し出されていたとも云えるであろう。

以下に、シンポジウムで出された主要な論点をふり返りながら、考察をさらに深めてみたい。その趣旨は反論や批判にあるのではなく、それを手掛かりにして問題を社会経済構造論的にいっそう掘り下げ、今後の研究と論議に役立てたいとするところにある。大西広氏の報告に関わっては、一つは「社会主義をめざす」社会経済体制の問題であり、それと「資本主義的蓄積」の体制との相違である。もう一つは、旧ソ連や中国など「遅れた社会経済状態から社会主義をめざす」ことにともなう問題である。山本恒人氏の報告に関わっては、官僚制や政治権力、上部構造と経済諸関係、とくに商品・市場経済関係との関連の問題である。井手啓二氏の報告に関わっては、「市場経済化の第2段階」における民主主義の深化についての問題である。これらの諸論点は、新中国70年の歴史にほぼ沿った順序で提起されてくる問題でもあろう。

三、「社会主義をめざす」社会経済体制と「資本主義」

「機械制大工業」＝「資本主義」説

大西氏は、「より良い社会主義」つまり「自由と民主主義がより十全に発展した社会主義」を求めるのは「理想であって現実にはそぐわない」とされる。しかし、私は反対に、「自由と民主主義に背を向ける」ならば「社会主義をめざす」とは云えない、その本質に関わってくる問題であり、それが21世紀の社会主義の在り方をめぐる核心になってくる、と考えている。そして、このような違いを生みだす根拠を尋ねていくと、結局は大西氏が私たちに投げかけられた問題、「マルクスの史的唯物論をどのように理解するか」ということに帰着するように思われるのである。

大西氏は、通常の「資本主義」理解とは異なるとしながら、産業革命による機械制大工業、「機械＝生産手段＝資本の蓄積が第一義的課題となった社会」が「資本主義社会」であるとされる。「道具」しかなかった封建制では、職人の熟練に頼らざるをえず「徒弟制」という生産システムが不可欠となったが、「機械」では労働の熟練は不要となり「機械」が生産力の質と量を規定するようになる。「機械＝資本」に資源を配分し、その増殖をする以外に生産力発展の方法はなくなる。単純労働者となった労働者は資本への対抗力を喪失する。経済的基礎が機械制大工業である限り、「資本主義」なのであり、「労働に対する資本の専制的支配は残る」とされるのである。ここから、中国についても、「自由と民主主義」は「理想」であって制約があるのは当然であり、「現実として踏まえるべき」としてその制約を大目に見ていくことにもなる。

マルクス「資本主義的蓄積の一般的法則」「歴史的傾向」

大西氏の「機械制大工業」＝「生産手段・資本の蓄積」＝「資本主義」説は、「資本」の技術的・生産力的側面だけからストレートに資本主義か社会主義かの社会経済体制的な規定を与えようとするものである、と私は考える。大西氏も言及されているように、マルクスの経済学批判体系にそくしては、通常は、資本主義は「市場システム」として理解されており、またそれが「商品」―「貨幣」から「資本」に飛躍を遂げていくさいには、「生産手段と労働の分離」「所有と労働の分離」という前提条件が必須となってくる。だから、『資本論』における「資本主義的蓄積の一般的法則」（1巻7編23章）の定式化は、それまでの「剰余価値論」（「労働力」商品の売買と使用をめぐる剰余価値・利潤の取得・搾取）と「蓄積論」の展開全体の内容を凝縮するような言葉を使って、次のようにまとめられているのである。「資本主義制度の内部では、労働の社会的生産力を高めるいっさいの方法は、個々の生産者の犠牲として行われるのであり、生産を発展させるいっさいの手段は、生産者の支配と搾取の手段に転化」する、労働者を部分人間へと不具化し、機械の付属物に変え、労働苦で労働内容を破壊し、科学が自動的力能として使われると精神的力能が労働者から疎外され、労働条件がねじゆがめられ、労働過程での専制支配となり、労働者の生活時間を労働時間に転化させ、彼の妻子を資本の下に投げ入れる。つまり、「剰余価値の生産のいっさいの方法は、同時に蓄積の方法であり、その逆に蓄積のどの拡大も、右の方法の発展の手段となる。それゆえ資本が蓄積されるのにつれて、労働者の報酬がどうであろうと――高かろうと低かろうと――労働者の状態は悪化せざるをえないということになる。最後に、相対的過剰人口または予備軍を蓄積の範囲と活力とに絶えず均衡させる法則は、…労働者を資本に縛りつける。この法則は、資本の蓄積に照応する貧困の蓄積を条件づける。したがって、一方の極における富の蓄積は、同時に、その対極における、すなわち自分自身の生産物を資本として生産する階級の側における、貧困、労働苦、奴隷状態、無知、野蛮化、および道徳的堕落の蓄積である」(『資本論』ドイツ語版原書、674―5頁)。

しかし、資本主義がもたらした生産手段と労働との分離は、「資本の集積」と「生産の社会化」「労働の社会化」を発展させる。「協業」―「分業とマニュファクチュア」―「機械制大工業」へと技術的物質的な基礎が展開していくのに従って、「資本による労働の形式的包摂」から「実質的包摂」へとその支配が深化していく。だが、この基礎に立脚して「アソシエーション」という資本主義を止揚していく人間主体の意識的な協同関係、生産関係的な要因が形成されていくのである。「資本主義的生産過程そのものの機構によって訓練され結合され組織される労働者階級の反抗もまた増大する。資本独占は、それとともにまたそれのもとで開化したこの生産様式の桎梏となる。生産手段の集中も労働の社会化も、それらの資本主義的な外皮とは調和しえなくなる一点に到達する。この外皮は粉砕される。資本主義的私的所有の弔鐘が鳴る。収奪者が収奪される」(同、791頁)。この生産手段と労働の再結合の形態や仕方は多様であろうとも、政治や国家の権力の変革を媒介することなしにはあり得ないであろう。「資本主義的な私的所有は、自分の労働にもとづく個人的な私的所有の最初の否定である。しかし、資本主義的生産は、自然過程の必然性をもってそれ自身の否定を生みだす。これは否定の否定である。この否定は、私的所有を再建するわけではないが、しかし、資本主義時代の成果――すなわち、協業と、土地の共有ならびに労働そのものによって生産された生産手段の共有――を基礎とする個人的所有を再建する」(791頁)。

マルクスの「資本主義的蓄積の一般法則」とその「資本主義的蓄積の歴史的傾向」(『資本論』同24章7節、その生成と発展をうけ、共産主義への転化の過程が位置づけられる)では、同じ「機械制大工業」の基礎のうえで論じられている。現代の情報化などにそくした具体化は図られるべきだとしても、「史的唯物論」と「剰余価値論→蓄積論」

にアプローしていく方法論は「通常」の理解のようになされるべきではないか。大西氏も、「政治権力」の次元では「たまたま『社会主義を志向する政党』が政権を握っている」ことによって、大規模な貧困人口の縮小…などをもたらした、中国の現在が上述の「貧困の蓄積」「利潤第一主義」とは異なる「社会主義をめざす」経済体制であるとされるのであるが、「生産力」段階からは機械制大工業であってそれは「資本主義」である他ない、と云われる。私は、「生産力」の次元と「政治権力」の次元との間に介在する「生産諸関係」「経済諸関係」(マルクスの「剰余価値論―蓄積論」に照応するもの)の分析と展開が必要となってくる、と考えるのである。

四、「社会経済状態が遅れたところ」からの特殊性
―「国家資本主義」概念をめぐって

大西氏のような提起の背景には、もう一つ、資本主義の下でつくりだされた高度な生産力をもたない、「社会経済状態が遅れたところ」から「社会主義をめざす」ばあいの特殊性に関わる問題があるように考えられる。ロシアについて、レーニンがもっとも苦心を重ねたのもこの問題であったと云えよう。

「資本が独占的・国際的」となる帝国主義の段階においては、ロシアの社会変革も世界的な連環の中で考えていかざるをえなくなるとして、レーニンは「軍事的封建的帝国主義」という規定を与えようとした。ロシアの資本がイギリスやフランスの金融資本に従属し、その一環として行動するようになるが、国内体制では封建的・絶対主義的権力の性格をもち、全人口の六割近くの「異民族」(大ロシア人以外の)が無権利と半封建的な搾取と抑圧の下におかれていた。この「(国際的視点での)帝国主義↔(国内的視点での)封建的」という「ねじれ」あるいは「落差」の

問題と重なって、政治権力の次元と社会経済的内実の次元との「落差」、そしてその後の「国家資本主義」をめぐる問題が続いていくのである。

「政治権力の性格」と「社会経済的な内容」

世界大戦のさなか1917年に、ロシアの民衆が自然発生的に数十万のデモを繰り返すようになったときのスローガンは、まず「平和」、そして「パン」、「土地を農民に」であった。国内では、半封建的雇役制にもとづく地主的大土地所有が支配を続け、飢えが拡がっているのに食糧と土地を独占しているのは旧地主勢力であった。「二月革命」＝「封建制を倒すブルジョア民主主義革命」が起こり、ブルジョアジーと小ブルジョアジーが政権の座についたが、彼らは全く脆弱で英・仏金融資本に従属しツァーリ専制権力に保護されて「ロシア的高利潤」にありつく存在であった。国民総動員体制についていけずにロシア帝国が崩壊した後、社会の大混乱と破局を建て直す術をもたないまま、あくまでも戦争を継続しようとし、反革命の軍事反乱も起こって、それといちばん先頭で戦った労働者・農民が政権の座におし上げられる「10月革命」となっていった。だから、その革命は「政治権力」の性格からみれば労働者と農民が中心なので「社会主義」であるが、「社会経済的内容」からみれば「ブルジョア民主主義」であるとされた（その「三つの柱」―民主的共和制・地主の土地の没収・八時間労働日）。

ところが他方で、ロシア革命自身にとっても社会主義革命に向かって前進する新しい局面が開かれてくるようになるとされ、そのような把握の結節点にたつのが「国家資本主義」という概念であった。それは「国民の全経済生活を単一の中央機関から指導する」というドイツなどでの戦時統制経済からイメージされてきたもので、「国家による統制・管理」、その「反動的＝官僚的規制を革命的民主主義的規制」に変えていくこと、「社会主義とは、全人民の利益を目ざすようになったそしてそのかぎりで資本主義的独占でなくなった、国家資本主義的独占である」とされた。「人民の利益を目ざすようになった」「資本主義ではない」「社会主義に道が通じている」ものなのであった（『レーニン全集』25巻349―387頁、27巻157頁）。ただ、そのさいにも「人民による下からの民主主義的な参加と統制」ということは一貫して強調されており、「国家独占」「生産の社会化」の発展によって人民大衆の「管理」への参加もより容易になる、とむしろ楽観的にとらえられているところさえ見られた。

「10月革命」後の「短い8ヶ月」は、この「上から」の国家による統制・管理の軸と「下から」の人民大衆による参加・統制の軸とが併存して、試行されていったと言えよう。政治権力を固めるための若干の重要拠点―銀行や軍需産業などの限られた企業の国有化の他は，広範な私営商工業に対しては「上からも下からも」統制を与えていくという「過渡的な国家資本主義」（ドッブ『ソヴェート経済史』新評論社）の経済政策であった。この「下からの」統制が、企業の所有や経営・管理の基本的な権限は私的なままに残して労働者による統制を加えていくという「労働者統制」として実施に移されていったが、現実の過程では「現場からの」工場接収や直接的な管理介入など「逸脱」をともないながら進んだとされる。また、この「下からの」統制と「全国的な生産の組織化と調整」（やがて「国民経済会議」など管理機関の整備に至る）との間の関係がたえず論議の的になった。そして，この頃には、「下からの参加と統制」ということと関わって、「革命を始めること」と「革命を続行し，完成すること」との区別にふれられ、「資本主義が発達し，最後の一人まで民主主義的文化と組織性があたえられている国」とロシアとの違いにもしばしば言及されるようになっていた（1918年のレーニンの諸論文、27巻55、94、564頁）。官僚制が問題になってくるのも、この時である。ネップ期に本格的に問われてくる課題、社会的に組織された経済の全体を管理・統治していくさいの民主主義の問題が、ここで顔を覗かせるようになっていた。

しかし、まもなく「干渉戦」「国内戦」が始まり「戦時共産主義」期には、国家による全一的な統制と管理の軸だけが全面に座るようになる。工業部門の全般的国有化、農民に対する強制的な食糧割当徴発制、私的商業の禁止、貨幣の廃棄・無料配給…といった戦時の非常政策を余儀なくされる。逆に、それらが「生産の国家化」の原理と「貨幣と商業の廃止」「商品と市場の消滅」論によって根拠づけられ、後になって「共産主義的な生産と分配に直接に移行することを決める、という誤り」(同、33巻49頁)と自己批判されるような状況が出現する。

1921年春、ようやく「干渉戦」と「国内戦」に勝利し、平和的な復興期「ネップ」に至って、「正常な社会主義社会の基礎」「経済」の建設に立ち戻ることができるようになる。ここで、先の「ねじれ」「落差」をどう埋めていくか、社会主義経済の基礎となるべき大規模機械制工業をどうつくりだし、どうその組織を管理・経営していくか、そしてそれに「人民大衆の民主主義的参加と統治」の原則をどう実質化させていくか、という新たな課題が現実化してくるのである。

五、「官僚制」と「経済的基礎—市場経済」との関連

ここで、山本恒人氏の報告に関わって、「官僚制や政治権力、上部構造」と「経済的土台、経済諸関係とくに商品・市場経済」との関連の問題に移りたい。

(1)「ずっと資本主義だった」?　—「市場経済の全面化」

山本氏は、「20世紀・社会主義」は、旧ソ連・東欧や中国などもまた、それぞれ「革命」以来ずっと「大きな政府型資本主義」あるいは「国家資本主義」で、経済的社会構成体としては「資本主義」であった、とされる。その主張

を補完する理論軸として、「市場原理が全面化する資本主義」ということを挙げ、「商品・貨幣・資本」による人間労働の「外化・物神化」といわれる過程、その中での「生成」段階と「確立・完成」段階との区別を強調される。前者の生成期は市場経済が限定的であるが、後者の確立期は土地・労働・資本の3要素が市場化され全面化される。そのような市場経済の「生成―全面化―克服」の一貫した過程を基礎・基軸として、論拠づけを与えようとされるのである。

すでにマルクスの「剰余価値―資本蓄積」論、その「一般的法則、歴史的傾向」について確認しておいたように、「商品・貨幣」から「資本」への飛躍そして逆にその止揚には、生産手段の所有と人間労働との「分離」(「本源的蓄積」)および「再結合」(「革命」)の質的な変革があるのであって、それが前提条件となって「土台・経済的基礎」である生産諸関係が新たに創りだされていく。反対に、市場経済の「外化」過程の一貫した自律的な展開がそれらを生み出していくわけではない。山本氏は、社会主義・共産主義を何よりも「人間労働の外化過程の対抗過程」「克服過程」として捉えられる。だから、「ロシア革命・中国革命」は、経済的社会構成体の区別としては重視されずに、「社会主義的(と普通呼れている)発展のある段階で市場メカニズムを活用する必然的過程」を経た後、そのずっと先で「外化・物神化過程を克服する過程」が始まっていく、それまでは「市場原理の全面化」が一貫して進んでいく「資本主義」なのである、とされるわけである。そして、それに合わせて国家権力の外化過程、官僚制も必然的なものとして展開されていこうとする。

私は、この方法は顚倒していると考える。まず、「生産手段の所有と人間労働」が分離しているか結合しているか、それに基づく「生産諸関係」の特質を明らかにしてそれを基礎・基軸に据え、それとの関連において「市場経済」の残存と止揚、利用と制御を展開していく、その上で生産手段の管理・運用や政府―国家機構における「官僚制」による特別な「疎外」構造に迫っていくやり方である(「官僚層」「特権層」の分析でも、行政機構や党や経済機関におけるそのそれぞれの区分と相互関係の動態が大事になってくる)。「20世紀・社会主義」の現実の歴史過程をみても、その大半の期間は「スターリン型」と呼ばれる「国家」による上からの指令的な計画・管理が、「商品・市場」の「否定」「断絶」および直接的な物材動員（「個別物材バランス」に基づく）によって実施され、「経済的基礎」からも全く「乖離」した「行政的計画・管理」と称されるものであった。「経済的基礎」との繋がりの回復をめざしたレーニン主導の「ネップ」および「市場経済化・第1段階」と対比させながら、「国家権力」と「経済諸関係とくに商品・市場経済」との関連について、「ロシア」と「中国」の場合を再整理しておきたい。

（2）ロシアの「ネップ」―「国家資本主義」の経済的メカニズム

「ネップ」は上述したように「政治権力」における「プロレタリア的性格」と「社会経済的内容」からみれば「ブルジョア民主主義革命」が必要とされるような「ねじれ」「落差」の解消をめざしたものであったが、新しい社会主義の「土台」＝経済の建設には「一連の過渡的段階が必要」（『レーニン全集』33巻 44頁）であり、「まず最初に国家資本主義に到達し、そのあとで社会主義に到達するほうが良い」（同、４３６頁）とされ、それは「真剣に、長期にわたって」「まる一時代も」（同、４９１頁）かけておこなわれるものとされた。その下でどのような経済的メカニズムが構想されていたのか、基本的輪郭だけを描き出しておこう。

① 階級関係―生産関係の「経済的基礎」を回復する。

7年間の世界大戦、内戦と干渉戦によって国民経済と生活は破局に瀕し、基軸となるべき農民と労働者の階級関係は亀裂を大きくし、労働者自身の「脱階級化」も進みつつあった。労農同盟の再構築ということが主眼に置かれ、「ネップ」の中心的な内容となった「食糧税」は以前の「割当徴発」よりも約半減され、残余は自由な売買が認められた。

その食糧・原料の増産によって、まず小工業と軽工業を復興させ、重工業の建設にもとりかかっていく。

② 市場経済を全体の基礎に置く。

以前には「主な『内』敵」とされていた農民の「小商品生産」「自由な取引」は、「創意、イニシアティヴの全面的奨励を無条件に要請され」（32巻414頁）また等価的な対等平等の「契約」「協定」の関係であって、それが社会主義の基礎＝経済の建設の「正常な関係」（279頁）なのだとされた。

③ この商業の自由からは不可避的に資本主義が成長してくるが、これは恐ろしくない。「労働者国家」による「統制」「監督」の下に置かれ（317頁）、「すべての管制高地をにぎっている」（444頁）からである。「古い社会経済制度、商業、小経営、小企業、資本主義を打ちくだくのではなく…これを国家資本主義の軌道に導くようにつとめる」（33巻100、372頁）。私的・個人的利益を公共の利益に従属させる程度を見出すことが課題とされる。

④ 国営企業の管理における民主主義。

これらの枠組みの原則はあらゆる領域に適用されていくべきもので、「社会化された国営企業が、いわゆる採算制に、つまり商業的原則にうつされている。…プロレタリア国家の規制がうまくいくかどうかは、国家権力のいかんにかかるばかりでなく、なおそれ以上にプロレタリアートと勤労大衆一般の成熟の度合いに、つぎに文化の水準などにかかっている。だが、このような規制が完全にうまくいくばあいでも、労働と資本の階級的な利害の対立は、無条件に残る。…労働者大衆と国営企業の企業長、管理者およびこれらの企業が属する官庁とのあいだに利害のある程度の対立をかならずうみだす」、だから「官僚主義的にゆがめること」と闘う労働組合の任務も無条件に残る（33巻182、183頁）。より具体的に、例えば「国家資本主義」の典型的な一形態「利権事業」にそくして云えば、労働条件や労働基準の規制、あるいは経営管理の契約をめぐる制約・闘争（32巻326、373頁）の問題として提起されようともしていた。

以上のような「ネップ」の経済的メカニズムは、今日でいう「経済民主主義」の内容にも通じるものであろうが、それは「社会主義にたいするわれわれの見地全体が根本的に変化し…以前は重心を政治闘争、革命、権力の獲得などにおいていたが…いまではこの重心は平和的な組織的・『文化的』活動にうつっている」（33巻494頁）ことを意味した。そして、この経済の組織、管理・経営、統治になってくると、その「能力と文化性の不足」「民主主義の成熟」がロシアの現実では深刻な問題となって現れてきたのであり、それと結びついた「官僚制」の克服が課題となってくるのである。ただそのさいも、「国家権力の規制」や「プロレタリアートと勤労大衆の成熟」の次元の問題と「階級関係の利害、生産関係の対立の構造」という客観的な経済的土台の問題とは区別されて論じられようとしていた。

ところが、この「ネップ」の試行は極めて短期間で命を絶たれ、「スターリン型」と称される「商品・市場」の「否定」「断絶」、「経済的基礎」からも「乖離」した「国家」による上からの「行政的」計画・管理方式が、ロシアでも中国でも「20世紀・社会主義」の大半を占めることになっていく。これは「正常でない」在り方である、という認識がなによりも必要であろう。

スターリンによる大転換（1928年）も、「市場経済」に逆らった経済政策をめぐる政治主義的な権力闘争が契機をなしていた、というのが教訓的である。「鋏状価格差」問題（農産物の価格と工業製品の価格の比率が、前者に不利に後者に有利に戦前比で約3倍にも開く）で、トロツキーら「左翼」反対派は「工業製品価格をいくぶん高める」、ブハーリンら「右翼」はもっと「穀物価格を引き上げるべき」と主張し、スターリンはこれらに断固反対する。そして、工業生産財を低価格水準に抑え（補助金を与えて）、穀物調達価格を引き下げ、結果として「商品飢饉」を深刻化させ、価格統制と「商品飢饉」との悪循環を招く（ノーブ『ソ連経済史』岩波書店）。その無理を起点として、一連の輪をかけた経済政策―計画・管理メカニズムの中央集権化、強制的な穀物調達方法と農民の全面的集団化、消費者への配給制度が連動させられていった。要となったのが「取引税」の導入（１９３０年）で、工業の生産財と消費財・農産物の「労働支出・価値―価格関係」の構造的乖離が生じ、社会的再生産過程の分断と不均衡、物動を基本とする超重工業優先のマクロ経済構造が形成されていく。各生産主体（企業やコルホーズ）との関係においても、生産物は「何をどれだけ」という現物の「総生産高」指標や「義務供出」あるいは「機械・トラクター・ステーション」への現物支払いによって調達され、逆に生産諸手段はまた現物の「資材技術供給」によって補給されるが、そのさいの自立性は全く存在しなかった。とうてい価値法則が作用して剰余価値法則が支配し、その一貫した「生成と全面化」の過程が進んでいた、とは云えないであろう。

（3）中国のばあいの特殊性

「ロシア」と対照させたとき、「中国」のばあいにはどのような特徴が見られるだろうか。

「半封建・半植民地社会」から「新民主主義」（１９４９～51年）へ

中国においても、いきなり「社会主義」がめざされたわけではなかった。長期にわたる封建統治の中華大帝国（清朝）が帝国主義列強によって侵略をうけ、半封建・半植民地社会に転落、中華民国の時代にも独立・統一した国民国家形成を達成することができなかった。１９４９年10月、反帝国主義・反封建主義・反官僚資本主義の民主主義革命である「新民主主義」革命によって、新中国が成立した。「今日の中国の経済建設は新民主主義的なものであって社会主義的なものではない。相当長期の努力を経た後に（それに）到達する」「民間企業の国有化と農業の社会化は遠い将来の話し」とされていた。労働者・農民・小資本家・民族資本家が連合して執権、長年の抗日戦争と国内戦争による経済破綻を復興し、封建的地主制度の廃絶と土地改革、外国資本や国内官僚資本の大企業を接収して社会主義的国営企業がつくりだされた。

「資本主義から社会主義への過渡期」総路線（1953年〜）

ところが、まもなく朝鮮戦争が起こり「社会主義への過渡期の総路線」に急転換を遂げ、「10年ないし15年で社会主義化を完遂」するとして「ソ連型社会主義」（重工業優先の工業化、国有化と集団化、市場経済の否定、中央集権的な行政的計画管理制度）の途が採られていくことになった。しかし、それは「中国型」とも云われる特徴を合わせもつもので、軍事共産主義的色彩が強く、戸籍による農村住民と都市住民との分離・住と職の制限、職住一体の小社会（「単位」）、「人民公社」、政治・経済・社会の合一、党・政府・企業の中央集権的ヒエラルキー構造に覆われたものであった。そして、その「計画経済」には組み込まれていない市場経済、膨大な小企業、地方政府の自律性が残され、「計画でも市場でもない」といわれる体制だったとされる。そのなかで、一方での国家権力の次元における政治闘争と他方での大衆運動の次元における無政府的な激震が続き、1958年「大躍進」―「経済調整期」60年半ば以降―65年「文化大革命」へと「放―収」の政治主義的なサイクルが繰り返され、社会と経済のあらゆる組織と制度が破壊され、民衆の「生活社会」が破局に瀕していった（76年毛沢東死去、81年「歴史決議」でようやく「内乱」としてこれらを否定）。

しかしながら、このような国家が包摂し支配する体制の「外では」「基層では」、「伝統的社会」―先資本主義社会と有機的に結合した「市場経済」がずっと広範に存続していた。前近代の中国では、中間団体（村、宗族、ギルド）が国や政府に代わって市場の秩序を維持していたと云われるが、「国民国家」による規範化が進んでいくばあいにも、文化的伝統に裏打ちされた「基層社会」では「包」（人と人との間の広義の請負関係）的な社会秩序が重層的に形成され、それとの相互関連が常に政権の課題となってきた。中華民国時代に局地的市場圏から国内統一市場が形成されていく過程が進んだが、49年革命以降は市場が否定され、統一市場が分断された状況となる。後の78年「改革・開放」以後、再び国内統一市場にむかう過程が進むが、80年代にはなお残存する地方保護主義によって逆に市場はむしろ分断の方向にすら進んだとされる。２００１年のＷＴＯ加盟とグローバリゼーションによって、国内市場も新たな統合化へ動き出す。このような「基層」における経済的土台との繋がりも視野に入れていかなければならないであろう。

（4）中国「市場経済化・第1段階」と「多様な社会的制度」

「改革・開放」（１９７８年末～）による「市場経済化・第1段階」は、これまでの20数年にわたる「経済的基礎」との分断を解消しようとする新たな出発であり、レーニン主導の「ネップ」と同様の意味をもつ「正常な過程」＝経済建設の始まりであった、と私は考える。

ただ、紙数の残りが少なくなってきた。これ以降の「市場経済化」の過程については、「シンポジウム・パンフレット」（本書【事前の提出論考】）拙稿、「第1段階」は５（本書014頁）に、「第2段階」は9、10、11（本書017-020頁）にやや詳しく私見を述べているので繰り返しを避け、要点だけを箇条書き的に再確認していく形をとりたい。裏付けとなる実証的データも、多くは井手啓二諸論稿に拠らせていただいているので、ここでは省略する。長らく同じ研究グループに属し、中国経済については資料も文献もほとんど井手氏の教示に与かってきた。感謝を申し上げるとともに、とくに現今の「第2段階」の捉え方における強調点の違いを端的に再度提起して、今後のいっそうの研究と論議に資したいと考える次第である。

さて、「市場経済化・第1段階」の中国の特徴については、一つは、それが社会の基層をなす農村部から始められ、その後で重点が都市部に移されていったことであろう。それも「点から—線—面へ」という漸進的なし方で進められていったが、もう一つの特徴は、旧ソ連などとは全く異なった国際諸条件の下で、80年代以降の「金融」資本の国際的な連鎖のなかで中低付加価値製造業としての位置づけ（「世界の工場」）、外資を重要な起動力に取り込みながら進められたことであった。

中国が相対的に成功を収めたとされるのは、市場経済化の「フォーマルな制度」と並んで、既存の伝統的社会の「インフォーマル（非公式）な制度」の考慮に因るところが大きいと指摘されている。なによりも多様な経済制度（ウクラード）の様々なインセンティブ、自発性を最大限に引き出していくことが基軸・基礎に置かれる。例えば、工業と農業の接点をなすような郷鎮企業は、集団的所有であるが利潤最大化によって経営され、ハードな予算制約をもち、激しい企業間競争をおこなう。中国での社会全体の制度設計の特徴は、下からのボトムアップ型で、それをトップが厳格にコントロールして成功的でない実験を排除していく、と云われたところにあった。

山本氏は、この「第1段階」について、それは「資本主義」の下での「開発独裁」であり日本の高度成長とは同類であって「社会主義的要件はとくに必要ない」とされる。しかし、ここで問われているのは「社会主義的要件」ではなく、農業と農村・農民を解体し衰微させていった日本の高度成長のやり方とは質的に違うものがある、ということである。資本主義の下での市場経済化は、その他のあらゆる社会的諸制度を競争原理によって一方的に切り捨てたり従属させたりしていく。そうではなく、社会主義を志向するならば、多元的で多様な制度の共生と調和的な発展がなしうるような「市場経済の利用と制御」がなされていくべきであろう。何よりもそれぞれの自立性・自主性を尊重し、対等平等の立場での協議的な協同によって、それぞれの制度を共約化・共通化していっそう高めていく社会経済的条件を次第に実質的に積み上げていく、という民主主義的な原則が基礎に置かれるべきではないか、ということなのである。

六、「市場経済化・第2段階」における中国の課題

20世紀「危機の時代」における中国「社会主義的市場経済」

ここで、まず強調されるべきは、「市場経済化」の第2段階である中国の「社会主義的市場経済」が、20世紀の「危機の時代」と重なって展開されることになった、という国際的諸条件の変化であろう。冒頭で記したように、グローバルな多国籍企業・資本の蓄積と循環が矛盾を鋭くし、アメリカの超大国的世界覇権が揺らぎ、「一国主義的ナショナリズム」の台頭や「中国―責任ある利害共有者論」の行き詰まりも見られる。他方では、賃金の抑制と社会保障の削減、失業と非正規雇用の拡大、格差と貧困。そして今、これに抗して「人間の生、人間らしい生活と労働」の回復、民主主義の再生のために、社会経済構造のあらゆる領域と次元から「諸個人の自立とアソシエーション」をそれぞれの場で構築していこうとする新たな胎動が起ころうとしている、グローバルに「国家」の枠組みを超えて。

「市場経済化」第2段階は、「生産要素・生産手段の市場化」を新たな契機とするもので、労働―生産過程における「生産手段の自立的・効率的な利用・管理・経営」と「社会主義らしい人間労働・生活の主体的な優位性、主人公としての管理・制御」との関連、企業に対する社会全体の公共的な規制・制御の新たな制度化を必要とするものであった。そこには、21世紀へ向けての自由と民主主義の人類史的な課題が、共通に内実として含まれていなければならないと考えるのである。

「生産手段の市場経済化」がひきおこす新たな問題点

「シンポジウム・パンフレット」（本書【事前の提出論考】）拙稿の9（本書015-016頁）では、ソ連・東欧の「第2段階」

への移行にともなって交わされた東・西の国際的論議を手掛かりに、「21世紀・社会主義」に向けての新しい制度構築の試みを描きだそうとしたものであった。一つの方向での、企業・組織の経営の自立性・効率性の保証、もう一つの方向での、その企業に対するもっと広い民主主義的な制御（労働者・消費者・市民などの権利と運動、規制や参加）、そしてそれら双方の連動の関係のなかから求められようとしているものである。「20世紀・社会主義」とは逆の、自立した個人・市民の次元が起点となるような①個人のレベル―②組織・企業（ミクロ）のレベル―③国家（マクロ）のレベルの相互関係で織りなされる構造である。

そのような課題意識のもとで、中国における市場経済化「第2段階」について、問題を2つの係累に分けて―(1)「現代企業制度の確立」といわれる問題、(2)その企業の経営・管理をとりまく労働や生活、社会構造（なかんずく農民、地方や諸民族）、自然環境における変化の問題―、検証していくべきと私が考える4つばかりの論点を、「シンポジウム・パンフレット」拙稿、10、11）で【問題点】として挙げてみたわけである。

そのさいの趣意は、次のようなところにあった。生産手段の市場経済化が新たに引き起こすようになる矛盾について、問題の在り処としての提起は、中国においてなされてきているのではないか、と思われた。経営や管理の刷新、格差の是正、調和的な経済発展、労働や生活の質的向上、環境改善、農民の同権化、地方の開発、統一市場の形成、などの諸問題である。但し、それらを解決していく新たな民主主義的な方策、なかんずくその制度化についてはまだこれからの課題として残されている。「第2段階」初めの20年間ほどはその民主主義的制御の前提条件が創りだされていく積極的な努力が試行されつつある、と私は評価していた。それが、２００６年「調和的経済発展」戦略による格差や環境への考慮であり、「戸籍制度」に象徴される「農民」の権利に関わる改革であり、その「社会保障制度」の同権化への方向…などである。重要なのは２００８年「労働契約法」「労働争議調停法」で、従来の恣意的経営を規制し、労働者の権利が認められ、現実にも労働争議が急増し、非正規雇用の制限にも着手されかけていた。

「強国化」路線と人間・労働の主体的な制御

ところが、2008~9年のリーマン・ショックの後、12年頃から変化が起こり始めたのではないかと危惧を強くする。大企業の国際的競争力の強化をいっそう加速させて、世界の最前列に伍しうる国力に引き上げる（15年ほど前倒しで）、という戦略目標が強調されるようになる。14年「新常態」以降の「強国化」路線（「科学技術創新」―「産業構造の高度化」―「大企業の官民連携」―「消費の高級化と多様化」「産業・生活のインフラ整備」、そして対外的には「一帯一路」）。その陰で、基礎であり基軸であるべき人間主体の労働や生活、社会の側からする民主主義的制御の制度化の課題が脇に置かれるようになってきているのではないか、多様な社会的諸制度との協同と共生の民主主義的原則が（国内的にも、また対外的にも）影を薄くしてきているのではないか、という危惧である。21世紀には必須となっていく「国家の枠組みを超えた全人類的アソシエーション」とは逆の、「一国ナショナリズム」に棹差す「強国化」の方向に変質しつつあるのではないか。

井手氏も、社会主義・共産主義の本義として、「生産力―生活の向上、共同富裕」「社会的公正」「連帯、アソシエーション」「人間の全面的発展」の諸要素を挙げられる。中国の当面の段階としては「生産力―生活の向上」の強調は理解できるとしても、私はその「人間の全面的発展」や「アソシエーション」という問題のなかに（それはマルクス『経済学・哲学手稿』における「労働・人間疎外」の第2の規定と第3の規定に関わるものであるが）、全ての人々が主体者として経済や社会の経営・管理・統治に関わっていくという内実が求められている、そこに「21世紀・社会主義」のあり方のキイ・ポイントがあるのではないか、と考える。その契機の位置づけが弱すぎるのではないか、というのが井手氏に対する問題提起である。それで、生産諸手段の市場経済化「第2段階」が以前とは異なる課題を生みだすようになるので、それをめぐる幾つかの**【問題点】**にそっていっそうの研究と論議の必要を述べたのである。

社会主義・共産主義と「商品・市場の止揚」

なお、そのこととも関わるであろうが、井手氏は「社会主義を商品・市場経済の廃止」と考えたのはマルクスの誤りである、とされる。しかし、私はそうは考えない。社会主義・共産主義は本質的に人間・人格が「物・物件（商品・貨幣・資本）」を意識的に主体的に制御し支配していく関係であって、その逆ではあり得ない。ただ、それがそのように止揚されていく過程については、どれくらいの長さでどのような仕方でなされていくのか、当然のことながら具体的には言及されていなかった。それがいま、問われて来ている。私は、資本主義から社会主義・共産主義への移行期における商品生産・市場経済の存在（その利用と制御）については、人類史的過程のもっと長い視野のもとで、マルクスが「人類史の3段階」（『経済学批判要綱』）のなかでその生成と発展を位置づけたように、その止揚の過程についても論じていくべきではないか、と考えている。そして、その初めの階梯では、なによりもまず生産過程の次元において主体となる人間労働によって生産手段（「資本」）が制御されていくという逆転が起こる、その現実的な展開のなかから次の階梯―人間労働による「商品・貨幣」の主体的制御が主要なモメントになっていく―への具体的な手掛かりが与えられてくる、と考えている（本書016頁）。いずれにしても、井手氏の「マルクスの誤り」という表現には、「商品生産・市場経済」の「利用の側面」だけの強調になって、「規制・制御の側面」が軽視されていくことに通じるような危惧を覚えるのである。

「覇権主義」と「国内の社会経済構造」

最後に、対外関係における中国の近年の「覇権主義」的な現象（核兵器禁止条約への反対、核兵器の近代化・増強、東シナ海と南シナ海の領海・接続水域侵入、香港・ウイグルでの人権問題…）に対しては、シンポジスト全員が批判的であった。同時に、これらを反中・嫌中などの「排外主義」に利用させてはならない、ということもまた共通した強い姿勢であったように思われた。それだけに、対外関係における「覇権主義」的現れと国内関係における社会経済構造的な要因との関連を深く掘り下げて理解していくことの大切さを痛感させられた。経済や社会の歴史の根底には、つねに人間の「生（ライフ）＝生命と生活」の営みが横たわっている。これまでからも、政治のレベルでは国家の権力や国益の枠組みによってしばしば歪められ妨げられることも多かったが、民衆のレベルでは学術や文化、スポーツ、そして私たちの「草の根」の国際友好運動など、そこでは国境を越えた人間としての自由と基本的な権利、対等・平等の全人類的な「アソシエーション（協同）」、普遍的な民主主義と平和的な生存を希求する営みが常に続けられてきた。そして、結局はそれが人類の歴史を大きく前に動かしていく本流となってきたように思われるからである。理論的な評価には違いが残ったとしても、日中友好運動を共に前に進めていこうとする真摯な雰囲気にふれることができ、学ぶところが多かったことを感謝したい。

Ⅱ

中国社会・経済の制度的特徴をどうみるか

井手啓二

はじめに――理論および現実理解の相違

昨年12月のシンポジウムでは、中国の現在の体制は社会主義なのかどうかという点を焦点に議論が交わされた。登壇した5名の理解は容易に一致しなかった。芦田文夫と私は、中国は経済社会体制としては社会主義と規定すべきという理解のもとに自説を展開し、大西広は社会主義をめざす私的資本主義説、山本恒人は国家・資本主義説、コーディネーターである聴濤弘は、体制規定は明言されなかったが、市場経済化の深化は資本主義化しかねないとの懸念を示された。各人の主張は平行線をたどったが、準備過程もふくめて当日までに相互理解が深まった点があり、私は裨益した点も多い。

体制規定をふくめて中国をどう見るかは世界的にも分岐しており、今後とも大問題であり、共通認識は容易には得難いと思われる。見解不一致の背景には、理論問題および歴史と現実の認識問題の2点の相違があると私は理解している。理論問題というのは、社会主義をどう考えるか、とくに商品経済・市場経済の止揚・廃棄を想定したマルクス社会主義論の理解の仕方、それと社会主義市場経済化路線をとる中国の現実との整合性の問題である。歴史・現実認識問題というのは、現に存在したロシア革命以降のソ連・東欧・中国など10数か国における社会主義とその崩壊・挫折をどう見るか、中国の社会・経済の現状をどうとらえ、その発展方向をどう見ているのかという問題である。両者は複雑に交錯していて、人により理解と認識は千差万別であり、簡単に解き明かすことができない状況にあると思える。

しかし私には、中国は、一定規模の生産諸手段を社会が掌握し、マクロ経済制御を行い、階級・搾取の廃止、共同富裕化に向かっている社会と見え、社会主義と体制規定するしかないと考えている。ただし、生産力や、商品経済の未発展な国での社会主義的発展であるから、社会主義の理想からみれば、とても社会主義とは言えない事象にこと欠かない。社会主義の定義や基準次第でどのようにでも規定は可能であるが、階級社会の廃止方向、共同富裕化、経済の意識的制御がいぜん私にとっての社会主義の定義・基準である。

商品経済・市場経済は、資本主義経済であるほかない、あるいはそれに帰着するというのが、広範にみられる理解（誤解）である。しかし商品・市場経済それ自体は、経済主体間の活動交換様式であり、生産様式や経済体制を規定するものではない。商品・市場経済は、特定の生産関係・生産様式と結びついて現実的な資源配分システムとして機能する。生産手段の私的所有、資本主義的所有を前提とする社会での商品経済・市場経済の発展は、資本―賃労働関係や無政府的生産を拡大再生産する。現代資本主義は、金融資本主義（カジノ）化およびクローニー化（産・政・官結合）が著しい。社会的所有が基軸的・支配的社会においての商品・市場経済の発展は、共同富裕化・階級関係の止揚をもたらし、人間主体による経済の制御を高める。

いずれにしても、商品・市場経済を資本主義と等置する理解、あるいは柄谷行人のように、生産様式ではなく交換様式によって体制・制度を規定する試み（『世界史の構造』岩波書店、２０１０年6月）は、説得的ではないと考えている。「資本主義にも社会主義にも商品・市場経済はある、それは体制を規定するものではない」という鄧小平の断定の方が正確であろう。生産者たちがその活動を自由に交換しあう社会は、対等・平等な社会であるが、しかしマルクスの表現では等しからざるものに等しい尺度を適用する「ブルジョア的権利」の世界にとどまる。これを乗り越えるのは、等しい尺度を適用する必要がない社会、「必要に応じてとる」社会を実現するしかない。人類社会にあってはまだまだ遠い目標である。

私は、社会主義の定義問題にはあまり関心がない。私には中国国家資本主義論などは根拠の乏しい、後ろ向きの流行の議論にしか見えない。それは、資本主義についての従来の理論や概念の変更を必要とする。たとえば、「資本蓄積の必要がある」社会が資本主義であるとか、「労働に対する専制的指揮権が存在する」、「国家資本・独占が存在する」

社会が資本主義である等々である。こうした議論は生産的とは思えない。

中国についての理解が異なるのは、大きく2つの理由がある。理論の相違と現実理解の相違である。私が繰り返し主張しているように、理論の相違は単純・明白であると思う。他方、歴史や現実の理解の相違は理論問題より厄介である。メガネ（理論・立場）によって現実は異なって見える。そのすり合わせは重要である。そのためには、私が中国の現在および中国の制度をどう理解しているか直截に述べた方が有益であろうと考え、小論では、第2の問題を主として述べたい。ただし、十全な議論ではなく粗いデッサンの試論で、未定稿と考えていただきたい。

第1の理論問題については、中国ではマルクス社会主義論の限界を明確にした議論が登場していることを紹介するにとどめたい。私はシンポ当日に、中国ではマルクス社会主義論の限界の指摘はまだタブーであると述べたが、すでにそうではなくなっている点に気づいていなかった。訂正しておきたい。

以上2点は経済（学）の問題であるが、今日、日本で問題になっている中国問題の過半は、政治的民主主義問題（一党制、言論抑圧、民族問題、外交政策）であり、この点も先のシンポで議論が交わされた。つまり、経済面より政治面での問題の方が大きいという点では登壇した5名には共通の理解があった。社会主義の理想に照らせば中国政治・社会の現実は理想からほど遠い。党国体制、一党制、言論の自由、基本的人権保障にかかわる問題である。これらについて格別の識見があるわけではない。教示を乞いたいため、私見を少し述べておきたい。

一、中国社会・経済の現状をどうみているか――2020年春

（1）高成長の持続とプレゼンスの拡大

表１　中国経済 2011-2020 年の関連指標

年度	2011	2012	2013	2014	2015	2016	2017	2018	2019	2020
GDP成長率(%)	9.3	7.7	7.7	7.3	7.0	6.7	6.8	6.5	6.1	−6.8
工業生産成長率(%)	13.9	10.0	9.7	8.3	6.1	6.0	6.4	6.2	5.7	−8.4
小売高増加率(%)	17.1	14.3	13.1	12	10.7	10.4	10.2	9.0	8.0	−19.0
固定資産投資増加率(%)	23.8	20.3	19.1	15.2	9.8	7.9	7.0	5.9	5.4	−16.1
消費者物価上昇率(%)	5.4	2.6	2.6	2.0	1.4	2.0	1.6	3.0	2.9	4.9
輸出増加率(%)	20.3	7.9	7.8	6.1	-2.9	-7.7	7.9	7.1	5.4	−11.4
輸入増加率(%)	24.9	4.3	7.2	0.5	-14.2	-5.5	15.9	12.9	1.6	−0.7
第三次産業比率(%)	43.4	44.6	46.1	48.2	50.2	51.6	51.6	52.2	53.9	—
都市就業者増(万人)	1221	1266	1310	1322	1312	1314	1351	1361	1352	—
都市化率(%)	51.3	52.6	53.7	54.77	55.77	57.35	58.5	59.6	60.6	—
財政赤字額(億元)	5373	8699	11002	11416	23609	28150	30493	37554	48492	9300
対内直接投資(億ドル)	1160	1117	1187	1197	1263	1260	1310	1350	1381	312
対外直接投資(億ドル)	746.5	878.0	1078.4	1231.2	1456.7	1961.5	1582.9	1298.3	1106	242.2
土地使用権譲渡収入(兆元)	3.15	2.9	4.12	4.26	3.37	3.75	5.21	6.51	7.26	1.11
日中貿易額(億ドル)	3428	3295	3124	3123	2785	2748	3030	3277	3150	672
日本の対中直接投資(億ドル)	63	74	71	43	32	31.1	32.7	38.1	—	—

出典　国家統計局『中国統計摘要2019』(中国統計出版社,2019年5月)。『2018年度中国対外直接投資統計公報』(同、2019年9月)。2020年数字は国家統計局発表の第1四半期実績。

中国の21世紀は、WTO加盟とともに始まり、2桁の高度成長（2001〜2010年実績、年率10・5％）が実現した時代であったが、2010年代には表1にみられるとおり成長減速化の時代を迎えた（2011〜2020年7・2％前後、2016〜2020年6・5％前後）。中高速成長あるいは「新常態」時代である。高投資・高投入による成長時代から質と効率による成長率引時代への転換・移行の開始であろう。就業者の増加の停止、環境負荷の増大、投資効率の低下が基本原因である。国際的環境としては先進国経済の長期低迷が挙げられよう。

中国の成長には恐慌―不況（回復）―好況（繁栄）―恐慌という景気循環現象はない。計画的経済運営が行われているためである。年々の成長率の変化は、客観的条件とともに政策・制度改革により左右されているのが実態であろう。

12〜15年は7％台の成長、16〜19年は6％台の成長である。米中貿易紛争が収まらず、新型コロナ肺炎の猛威に見舞われている20年は3〜5％前後の成長であろう。

中国自身の中長期予測は、例えば中国科学院予測科学研究センターによれば、２０２１～２０３０年５・６％成長、２０３１～２０４０年４・６％成長、２０４１～２０５０年４・０％成長としている（『２０１９・中国経済予測与展望』科学出版社、２０１９年６月）。

２０１９年の中国経済は、６・１％成長を遂げた。18年春から本格化した米中貿易紛争のもとで、対米貿易が11％弱低下したなかでの成長としてはそう悪くはないが、２０１１年以後は17年を除き一方向的に成長減速が続き、歯止めがかかっていないこと、換言すれば新しい成長動力の形成が不十分であることが最大の問題であり、労働生産性向上を基軸とする持続的安定的成長経路の確立に未だ至っていない。この転換・転型が中国経済の現在の最大の課題である。これを16年以後、供給側構造改革で突破するというのが中国の基本戦略である。供給側構造改革の核心は、生産要素市場の形成および政府の機能と役割の改革である。

中国経済は19年に１人あたりＧＤＰで１万ドルを超えた（１万２７６ドル）ところで、世界銀行基準による高所得国（１・２万ドル）入りは恐らく２年後の２０２１年であろう。長期展望としては15年後の２０３５年の近代化の基本的達成、２０５０年の先進国化を掲げている。２０２０年小康社会の全面的達成が現行13次５か年計画（２０１６～２０２０年）の目標であり、絶対的貧困の解消、一人当たりＧＤＰで２０１０年の２倍化が20年には達成されよう。現在約４億人前後とされる中産階級（３人世帯で年10～50万元水準）を10数年で８～９億人水準にすることが当面の課題である。

さて、このように国民の生活水準を引き上げていくことが中国の「経済政策の出発点であり、着地点である」とされており、経済政策の目的は共同富裕化と明確である。その推進力は制度改革であり、経済開放化のいっそうの追求である。具体的に言えば、生産要素市場（土地、労働力、資本、技術など）形成の推進による生産諸資源利用の効率化である。土地については農地の所有権、請負権、経営権の３権分離による農地利用の効率化、労働力については戸籍制度改革による農民と労働者の同権化、50～55歳という早過ぎる現行定年制の延長や男女の定年年齢の同一化（2045年に男女とも65歳定年制実現が方針）、教育水準の向上、資本については資金の効率的部門への配分を妨げている諸制度の改革である。経済開放化は、関税の引き下げ、内外企業の処遇の対等化で、先進国並みの国際化水準の達成である。

中国経済は1970年代末からこの40数年にわたり躍進を続け、近代化、工業化、都市化、情報化が急速に進んでいる。2007年前後に始まり、今後30年前後は中国が世界最大の成長牽引者であろう。すでにアメリカに次ぐ世界第2位の経済大国、世界最大の製造業大国、貿易大国となり、軍事力ではアメリカに大幅に劣るが、ある程度対抗しうるポジションを築いている。経済規模では、10年以内にアメリカを凌駕するとみられている。

つまり経済面では中国が世界最大のパワーとなる時代を迎えている。そうなっても、14億人の人口をもつ中国は様々な部面で先進国ではない。世界史において世界最大の経済体が最先進国ではないという初めての事態を迎える。これだけでも未来が複雑な時代であることがわかる。

（2）持続的高成長をもたらしたもの――後発性の利益＋社会主義制度の利益

中国の高成長の原因は、抽象的に一言で表現すれば「後発性の利益＋社会主義制度の利益」であろう。先進国との技術的水準の差はまだまだ大きく、「後発性の利益」の享受時代はあと30年前後は続く。「社会主義制度の利益」は多方面にわたるが、そのポイントは、①社会主義的発展を志向しているため国民の所得・消費を抑制する制度的要因がなく、国民の生活水準の向上・内需拡大が持続すること、②生産諸資源の一定規模の社会的所有を維持しているため、マクロ経済制御が可能で、経済発展のテンポや内容を社会が決めることができることである。そのため過剰生産恐慌や景気循環を回避できる。これは、過去70年、40年の経験が示すとおりである。改革開放政策以前には大躍進政策、文革政策で経済後退が生じたが、これは政策的要因に基づくものである。この40年余は高い成長を維持している、あるいは1990年代後半以後は安定的成長がみられるのは社会主義の制度的要因を抜きにしては考えられない。中国資本主義論はこの点を全く無視している。大きな政府論一般では、到底、中国の長期成長を説明できない。

中国の「後発性の利益」について語る時、中国は大国であり、発展段階が異なる多様な地域からなる社会である点を見ておくことは極めて重要である。各地域の経済態様、発展水準、生活水準など地域の相違、地域格差はなお巨大なものがある。社会保障、医療保障で全国一律の制度を作り上げる段階に達していない。その意味で国民国家形成はなお途上にあるとみるべきである。

このことは中国の階級・階層構造を観察する際にも極めて重要である。竹内実が指摘したように、中国の伝統的社会の皇帝―官僚―民衆（最下層は流民）の3層構造は、現在では党最高指導者―官僚―民衆（党員、労働者、農民、流民・失業者）の3層構造として継続している面がある（『中国という社会・人・風土・近代』岩波新書、2009年2月、211～212頁参照）。中国の社会主義初級段階論は、社会主義一般の最初の段階を初級段階としているわけではない。「生産力の立ち遅れ、商品経済の未発達」という条件から出発する社会主義がどうしても通らねばならない特定の段階を指しているのである。加藤弘之が強調してきたように、中国の現実は「自然経済から商品経済への転換」、「計画（指令）経済から市場経済への転換」の2重の過程が進行しているとみるべきである。

中国の高成長を支えた推進力は、制度と政策の自己革新である。どのような政策・制度がどの程度高成長に貢献してきたかは、時期によって異なる。過去40年余一貫して展開されてきた開放政策は、海外の資金・技術の流入をもたらし成長を支えた一因である。2019年までに流入した2兆ドル《ドル》を超える外資、とりわけ台湾・香港を含む華僑系資本、ついで日・米・欧の先進国多国籍企業の果たした役割は巨大であった。中国自身が対外投資国に転化した現在は、外資及び外資系企業の貢献は次第に低下傾向にあり、後景に退いてきているが、日用品市場に占める外資系企業の比重はなお高い。２０１７年でも工業部門の資産、営業収入、利潤に占める外資系企業の比重は、それぞれ19・25％、21・85％、24・58％と算定されている。国有企業は、それぞれ39・19％、23・42％、22・98％であるから、工業部門にかぎれば、ほぼ同水準であり、先進国では見られない外資依存の高さである。

貿易依存度も過去は極めて高かった。ピーク時の２００６年は64・0％（輸出依存度35・2％、輸入依存度28・8％）であった。２０１８年の貿易依存度は34・0％（輸出依存度18・3％、輸入依存度15・7％）であり、貿易依存度の低下はかなり早い。同様に輸出・輸入に占める外資系企業のシェア（05年58・5％→18年42・6％）および加工貿易の比重（98年53・4％→18年27・5％）の低下も進んでいる。現在は経済成長の外需依存は大幅に低下し、年によりマイナスであり、成長は専ら内需、しかも消費増加に依存することになっている。

二、中国経済の制度的特徴

(1) 序説

中国経済について、人々の理解に相違が生じやすいのは、発展途上国・中進国としての中国が宗教・文化の異なる多民族からなる大国であり、地域的多様性が大である、人民中国建国以後でも歴史的曲折（新民主主義体制からの急進的社会主義化、大躍進、10年に及ぶ文革、改革・開放路線への転換）が多く、大きいなど複雑な歴史的経緯のためであろう。経済制度についても他国にみられない独自の、あるいは理解が難しい点がある。

日本人の多くは、農地や自然資源が国家（社会）の所有下にある、地方政府には土地使用権の売却で巨額の収入がある、戸籍制度という都市民と農民の身分制的差別がある、住宅が１９９８年まで配給制であった、住宅公積金という強制貯蓄制度がある、党国体制および党、政府、国有企業の指導層の三位一体化（３者は公務員身分をもつ）、地方分権の大きさと地方政府間競争、国有企業が主導的役割を果たしている多種所有制の混合経済である、などの制度・仕組みについて行き届いた理解をもっていない。そこから多くの誤解が生じ、増幅する。

専門家の場合はこれと異なり、理論的立場による誤読である。一例を挙げよう。日本の中国研究を代表する一人である加藤弘之は、21世紀に入り中国社会主義論から中国資本主義論に転じ、中国資本主義の特徴を次の4点にまとめた。①ルールなき激しい市場競争、②国有経済のウエイトが高い混合体制、③競争する地方政府と官僚、④利益集団化する官僚・党支配層、である。そして、現状としては①体制移行の罠、②中所得の罠　という「2重の罠」に陥る可能性を論じ、成熟した資本主義（私的所有の資本主義）への移行の挫折の可能性を懸念している。これが日本を代表する中国経済研究者が辿り着いた結論である（大橋英夫編『ステート・キャピタリズムとしての中国』勁草書房、２０１３年７月）。なお、２０１１年３月の加藤編著では中国資本主義の特徴として、①政府が強大な権限を保持して、直接、間接に市場に介入している、②地域間、企業間、個人間での激しい競争が存在している、③政府の市場介入が経済の効率性を大きく損なうことなく実現できた、の３点を挙げていた（『現代中国経済論』ミネルヴァ書房）。

タレンティッドで、長年中国研究に従事してきた加藤弘之の分析は卓抜であり、大変魅力的である。だが基礎理論は、市場経済＝資本主義であり、２００１年のＷＴＯ加盟前後に狭義の市場経済に移行した、私的所有＝効率的、社会的所有＝非効率というドグマを２０１８年夏に急逝するまで堅持した。「中国資本主義＝曖昧な資本主義」が加藤弘之の最後の中国論である。要するに、加藤には社会主義は、伝統的社会主義しかなく、資本主義は永遠なのである。体制移行の罠、中所得の罠の「二重の罠」も中国内外の流行の議論であったが、それ以上のものではなく、中国にはそうした罠は存在しないか、乗り越えているのである。

加藤弘之の中国経済の4つの特徴を、資本主義論としてではなく社会主義論として展開すれば私は賛意を表明する。この4つの特徴はたしかに中国経済及びその制度的特徴であるからである。しかし、それだけではなく、加藤もその多くに言及しているが、中国経済やその制度には独自のものがある。2元的戸籍制度、膨大な農民工・非正規雇用、早期定年制、土地の社会的所有、巨額の土地使用権譲渡収入、生産・貿易における外資企業の比重の大きさ、年収の12％という高率の住宅公積金という強制貯蓄制度（すでに廃止の意見も話題を呼んでいる）、混合所有経済の拡大、生産要素市場の未形成、党・政府・企業にまたがる公務員等級制度（党国体制）、公務員・労働者・農民という準身分制度、零細・小規模企業就業者の圧倒的多さ等々である。これらの制度や特徴が社会主義制度とともに長期持続の高成長をもたらし、支えた要因であり、これらの存在がその歴史的根拠をふくめてバランスをもって分析されなければならない。上の加藤の引用は、中国を資本主義とみなした場合の特徴の指摘であり、中国経済の全体的構造的特徴を定式化したものではない。

中国経済やその制度の特徴は、中国社会・経済の歴史的発展段階および社会主義制度から産み出されている。概括的かつ試論的に述べれば、次のようになろう。

①人口・国土大国である中国は、なお社会主義初級段階にあり、中・後期の工業化段階にある。これは、第1次産業就業者比率の高さ、都市化率の低さ、地域格差の大きさ（東部、中部、西部の順に発展・開発格差がある）、社会保障制度の未成熟・未確立などに表れている。都市と農村の2元構造、戸籍制度、膨大な農民工・非正規雇用、早期定年制、強制住宅積立金制度（公積金）、土地使用権譲渡収入など独自の制度がある。そして、4つの社会（前近代から超近代）の同時存在。以上は、中国では「国情」と称される。

②93年開始の中国の社会主義市場経済化は、まだ未完成で改革途上にある。生産要素市場の形成・効率化や国有企

業の効率化の推進を今後の課題としている。自然経済から市場経済への転換、指令経済（行政的経済）から制御された市場経済への二重の転換が進行中である。社会主義特有の問題は政府と市場の関係である。市場の機能の発揮とともに政府の役割と機能の改善が課題となる。相続税や固定資産税は存在せず、累進所得税は存在するが労働者の過半は免除されている。

③中国経済は、社会主義的混合経済である。主導的国有セクター以外に、私有制大企業、混合所有制大企業、外資系大企業が存在し、就業者の大部分は、農業をふくめ零細・小企業セクター（家族・同族経営が多い）で働いている。外資系企業セクターの比重は非常に高い。

④中央政府および各級地方政府は、企業、家計とならんで独自の経済主体として行動する。これは社会主義制度の特徴である。大国である中国では、とりわけ各級地方政府の独自権限は大きい。中央・地方政府のマクロ・ミクロ経済活動は重要な役割を果たしている。

⑤中国社会の歴史的・文化的発展から、党・政府・国有企業の三位一体化したエリート官僚の権限が大きく、公務員・軍人、労働者、住民・農民の3層の準身分的・官僚的秩序がある。下層は、農民、農民工、流民である。富裕化はこの3層の順に漸進的に進んでいる。

中国経済を理解するためには、上に述べた諸点をできるだけ正確に知っておかなければならないというのが私の理解である。詳述の場ではないが、以下そのポイントを節を変えて述べたい。

（2）中国経済の制度的特徴①――戸籍制度・農民工、党・中央政府・地方政府の役割

戸籍（戸口）制度の根底にあるのは、都市民と農民の社会的身分の相違である。これは2元的社会構造の産物であ

る。1949年の人民中国建国時に都市人口は10・6%で、9割の人口は農村人口であり、食料など生活用品の配給制のため農民の都市への移動は厳しく制限されていた。1978年の都市人口は17・9%となり、その後の急速な工業化の進展により、2018年には59・6%に達するが、戸籍から見た都市化率は43・37%にとどまる。この差は1990年代後半から外出農民工が増加したためである（98年に約5000万人）。外出農民工が在（本）地農民工を上回り始めるのは2001年からであるが、2008年末に農民工は2億2542万人、そのうち外出農民工は1億4041万人、2019年末の農民工は2億9077万人、外出農民工は1億7425万人である。都市部で働く農民工は、社会保障、医療、教育、住宅購入などで都市戸籍民と異なる扱いをうけ2級市民として遇される。賃金も都市戸籍労働者の5割強の水準である。外資系企業で働くブルーカラー労働者の大半は農民工と考えて良い（最大の台湾系企業である鴻海・冨士康の就業者は100万人をこえるが、うち8割は農民工である）。中国の非正規雇用者にかんする全国統計は得られないが、サンプル調査によれば非正規雇用は被雇用者の35～40%前後を占めるとされている。この大半も農民工であろう。都市部失業者についても近年調査失業率が発表されている。それによれば5%前後（約2000万人）であるが、その半数前後も農民工であろう。

都市部就業者4億2462万人の実に約4割の就業者が農民工なのである。これは中国の経済制度を大きく規定している。近代的労働力市場の形成は1990年代後半から大きく進展するが、なお分断され未達成なのである。農民工とその家族約2・2億人の都市民としての処遇は、国民の同権化、中国の消費拡大にとり極めて重要な課題であり、改善が進められている。

次に、中国の各級の党機関、政府は、企業とならぶ経済主体であることについて述べる。中国では共産党と行政組織、国有企業組織は一体化し、人事・政策において共産党が指導的役割を演じる（中国における党国体制の淵源は、王朝体制・清朝にさかのぼるが、現在の形態は国民党政府時代に直接の淵源をもつ）。中国の中央、地方政府は、他国同様、政治的・社会的事項の決定を行うが（これが財・税制を規定する）、それ以外に多数の中央・地方管理国有企業の所有者として最高管理機関の役割も担う。中国株式会社である。

地方政府の権限は歴史的理由により極めて大きく、中央から独立した意思決定を行い得る。地方政府の独自財源は多く、とりわけ1990年代末から都市土地市場の形成が進み、近年では年5～7兆元に達する巨額の土地使用権の売却収入は地方政府に帰する。各級の地方政府（とくに省政府）は、管轄下にある国有企業の所有者・管理者の機能をはたし、地域経済の発展のため、企業の新設、企業救済にも直接かかわる。各級の地方政府の最大の関心事は、自らの地域の発展であり、地域経済の発展にかかわることには進んで関与する。各級地方の能力のある指導者は、企業家的才能を発揮し、場合によっては自ら起業する。例えば全国一の富裕村である江蘇省・華西村の共産党書記はそのように行動し、約250社からなる企業集団を作り上げ、すべての旧村人をこれらの企業の株主とし、富裕にした。同様の例は多い。

そのうえ地方政府の指導者の選抜・評価は地域の経済発展に基づくから、地方政府間および指導者間の競争は極めて激烈である。中国の各地域・企業が競って有望と思われる産業・業種に平行・重複投資を繰り返すことから、中国独自の過剰生産能力が形成される。中国では、国有企業も中央・地方政府もしばしば競争促進的行動をとる。先進資本主義国でも、政府の経済的役割は趨勢的には拡大方向にあるが、国家と市民社会とは分離し、国家は直接経済活動に従事しないか、公益分野にできるだけ限定する。利潤追求活動は国家の仕事ではない。総じて国家の経済的役割の拡大は、時に歴史家により「新しい中世」とも呼ばれる。だが中国では経済活動は私的活動に属するとは言えない。主要な生産手段が社会的所有である以上、各級政府は経済活動の一端を担わざるを得ないのである。

（3）中国経済の制度的特徴②——社会主義的混合経済

旧ソ連・東欧諸国と同じく、中国の伝統的社会主義時代（１９４９～１９７８年）の経済制度は私的・資本主義的所有の全面的廃止と社会的所有（全民所有と集団的所有）の全面化、商品経済・市場経済の排除と指令的計画化の実行、資産所得の廃止と労働に応じた分配の実施によって特徴づけられる。改革・開放政策の採用と共に伝統的制度の漸進的改革が始まる。私的および資本主義的所有の性急な廃止は、次第に行き過ぎであったと認識され、「補課」（部分的やり直し）過程が進行する。現在では、国有企業と並んで、外資企業を始め、内資大中企業、私営企業・個人企業と呼ばれる零細・小企業の存在が積極的に容認され、これらは97年以後「社会主義の基本的経済制度」を構成するとされている。

現在の中国の経済は、多ウクラード経済であり、所有制から見れば、主要には、国有経済、集団所有経済、資本主義経済、個人経済からなる。国民経済における資産、生産高、就業者に占める所有制別の比重を明らかにすることは簡単ではない。中国では様々な推計と論争が続いている（例えば次を参照されたい。裴長洪・楊春学・楊新銘著『中国基本経済制度―基于量化分析的視角』中国社会科学出版社、２０１５年12月）。

まず最も明白な就業者構造でみると次のようである。

中国の２０１８年末の就業者総数は、７億７６４０万人（都市部４億２４６２万人、農村部３億５１７８万人）である。うち第１次産業就業者２億２５８万人、個体・私営企業（零細・小規模企業）３億７４１３万人（個体１億６０３８万人、私営２億１３７５万人）、会社企業８４３０万人（有限会社６５５５万人、株式会社１８７５万人）、外資系企業２３６５万人（港澳台系１１５３万人、外資系１２１２万人）、国有企業５７４０万人、集団所有企業３４７万人である。

就業者構造で留意すべきことは次の点であろう。

①第１次産業就業者は年々漸減しているが、18年でも26・1％となお非常に高い。

図1　個人企業・私営企業就業者数（単位 万人）　2005-2018年

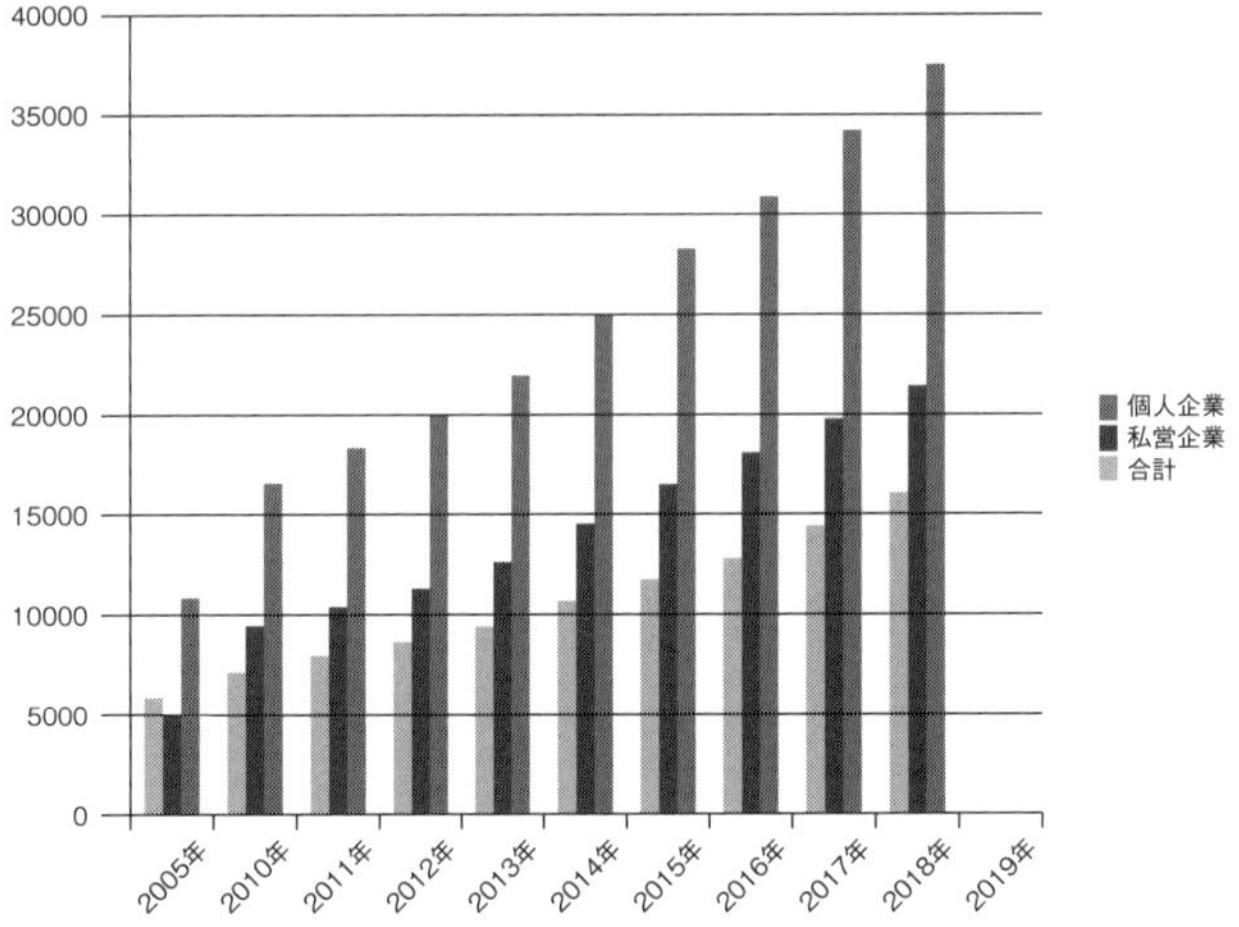

出典:国家統計局『中国統計年鑑』『中国統計摘要』(中国統計出版社)各年版。

②仮に第1次産業就業者および個体・私営企業就業者を小規模経済部門就業者とみなせば、その合計は5億7671万人となり、就業者総数の74・3％を占める。

③会社企業には国有企業出資企業も含まれているので、私的会社企業就業者はその半数と仮定すれば、4215万人となり、国有セクター就業者は1億人超となる。

④以上のうち、急増しているのは個体・私営企業就業者であり（図1参照）、減少しているのは第1次産業就業者および外資系企業就業者である。上の数字からはわからないが、農民工は2億9000万人（外出農民工は1・7億人）である。農民工の大半はブルーカラー労働者であるとみられる。また非正規雇用者とみられるのは都市部就業者の35～40％と推定されている。

⑤都市部の失業者は972万人、失業率3・9％とされているが、新しく始められた都市部調査失業率では5％前後とされている。

⑥賃金・労働条件が恵まれているのは、国有部門、外資系企業部門、会社企業部門であろう。とりわけ国有企業の人材吸収力は強い。中国の階級・階層構造をみるとき②および④は極

めて重要である。底辺は失業者、農民、農民工、個体・私営企業の被雇用者であろう。

資産、生産額に占める所有制別比重を示すことは、中国でもさまざまな推計と異論があり難しい。ここでは張春霖の推計を一例として紹介しておく（『中国改革』２０１９年９月号）。

張は２種類の推算をして、直接計算法での２０１７年の国有企業のＧＤＰに占めるシェアを、第１次産業４・０％、工業７・２％、建設業２・６％、卸売・小売業３・５％、運輸・倉庫業３・５％、金融業７・０％、不動産業１・６％など総計で27・５％としている（産業部門別の付加価値に占める国有企業の比重は、第１次産業４・６％、工業21・１％、建設業38・５％、卸売り・商業36・９％、交通・運輸業77・３％、ホテル・飲食業８・８％、金融業88％、不動産業24・６％としている）。

残額計算法では、私有企業60％、外資企業９・７％、農家７・２％、国有企業23・１％である。

ともあれ、張春霖の推計では、２０１７年の国有企業の比重は就業者で５〜16％、ＧＤＰで23〜27・５％を占めている。販売高２０００万元以上の工業企業（鉱業、製造業、公共事業）に占める国有企業の比重は、資産で39％、売上高で23％、就業者で18％としている。

加藤弘之の２００９年についての推計では、ＧＤＰに占める国有企業の比重は、38％（工業14％、建築業２％、サービス業22％）としていた（大橋英夫編『ステート・キャピタリズムとしての中国―市場か政府か』勁草書房、２０１３年７月、12〜13頁）。

中国経済の現在は、経済の瞰制高地は国有セクターが掌握する多種所有制の混合経済であり、私的・資本主義的所有が支配する資本主義経済とは次のような点で異なる。

①産業分類３９６部門のうち３８０部門に国有企業が存在しており、事実上全産業部門に存在している。うち電力産業、石油産業、金融業（88％）を筆頭に、通信産業、交通・運輸産業（77％）では圧倒的であり、建設業（39％）、

商業（37％）、不動産業（25％）、工業（21％）でもかなり高い比重を占めている。

②16年末の独立採算制国有企業法人は、17・4万企業（中央企業5・7万、うち国資委管轄4万2791企業、中央部門管理企業1万4706企業、地方国有企業11・6万企業）である。都市部の土地は、国有、農地は集団的所有（農地は使用権が売却され非農地となれば、国有に転換する）である。その他自然資源も国有。

③国有企業部門以外に、政府はGDPの35％前後（租税・社会保障負担率）を運用している。

（4）中国経済の制度的特徴③――社会主義市場経済化・国有企業改革の現状

改革は、①1978～1992年、②1992～2012年、③2012年～現在の3つの段階を経てきた。第1段階の開始は、計画と市場の結合、市場の補完的役割を打ち出した改革・開放政策の採用から始まる。第2段階は、市場経済を前提とした国民経済の計画的制御に転じた1992年の社会主義市場経済化路線の採択から始まる。90年後半には所有制改革に踏み込み混合経済化が推進される。第3段階は、生産物市場の基本的形成をうけて、難関とされる生産要素（土地、労働力、資金、技術）市場の形成に踏み込む改革の本格的開始を鮮明に謳った18期3中全会決定（2013年）から開始される。

中国ではソ連・東欧と異なり、労働力についても、住宅についても行政的配分が行われていたのが特徴であった（いわゆる「鉄椀飯」。つまり職業選択と就労場所選択の自由はなかった。公務員試験が始まったのは93年である）。行政的配分は、権力的・官僚的配分でもあり、協議にもとづく民主的配分でもありうる。市場的配分は自由競争による配分である。市場的配分が公正な自由競争による配分であるためには一連の市場インフラが整備されなければならない。90年代末にいたり、土地、住宅や労働力、資金の市場の形成が始まる。しかし先に述べたように戸籍制度や農民工の存在、農村の土地市場の未成熟、資金市場の未成熟など生産要素市場形成の課題は現在でもなお大きい。このため現在の市場経済化水準は、60~70%水準とみられるというのが私の理解である（詳しくは、拙稿「改革の全面的深化路線下の中国経済」『立命館経済学』第65巻第5号参照）。

現在の第3段階においては、市場経済の役割が「基本的」から「決定的」に置き換えられ、政府の役割と機能の変更、許認可権限の大幅削減が推進されている。あらゆる所有制企業の競争条件を平等なものにすることをめざし、政府の許認可権限を削減するビジネス環境整備に力が入れられ、早いテンポの改善が行われている。国有企業も、民間企業もともに発展させる「国進民進」路線がとられ、国有企業については、従来の「大きく、強い」に加えて「優良」が付け加えられ、「効率」向上に力点が置かれている（国有企業の労働生産性は相対的に高い。資本集約度が高いためであり、資本生産性では民間部門に劣ることが問題なのである）。

国有企業改革についていえば、①類型別改革（国有企業を公益類、競争分野の商業1類、瞰制高地分野の商業2類にわけて）、②資産管理から資本管理へとして、収益性を高めていくことがめざされ、③混合所有化、ＰＰＰ（官民提携）の推進、④ガヴァナンス改革（専門的経営者の招聘、取締役会の設置）が柱である。このほか経済単位への純化をめざす歴史的に残された問題の解決もある。現在までのところ混合所有化、国際競争力強化をめざす企業組織再編の進展が目立っている。

生産要素市場形成および国有企業改革の現状は、大変複雑であり、詳細な論述はここでは割愛させていただくほかない。

三、社会主義市場経済をどう理解すべきか？

これまで繰り返し述べてきたように、旧ソ連・東欧・中国などの社会主義は、基本的にはマルクス理論を下敷きにして商品経済・市場経済を廃止し、協議にもとづく計画経済に置き換えようとしてきた。私的所有は資本主義的私的所有を含めて全面否定へと傾いた。マルクスが資本主義打倒後の社会では、私的所有、商品経済、市場経済は廃棄・止揚され、アソシェーション社会・協議社会が実現されるとしていたためである。マルクスの理想は、ソ連、東欧、中国など現存社会主義と呼ばれた諸国でそれぞれに追求されてきたのである。実践は多様であり、ある論者は「五つの共産主義」（岩波新書）として各国の異同を記述した。しかしすべての国において、マルクス社会主義論に従って経済の計画的運営に努めてきたし、それ以外に考えられなかったのである。

それは初期にはそれなりの成果も挙げた。だが45年―73年に及ぶ諸国の社会主義の運営は、周知の通り結局は成功しなかった。この歴史的経験はきわめて貴重である。この痛切な歴史的経験の中から生み出されたのが市場経済を前提とする社会主義の発展という社会主義市場経済論であり、それは１９７０・80年代の中国の改革・開放政策、ベトナムのドイモイ政策の採用を経て現在に至っている。

理論的には、マルクス社会主義論の１８０度の転換である。市場経済と社会主義は両立するという議論は、マルクス経済学であれ、欧米経済学であれ主流のなかには存在していない。したがって、大多数の人々が市場経済化は資本主義化と理解することはこの意味で自然である。また私的所有や資本主義を永遠の体制とみなす議論が流行することも理解できる。この流れに逆らうのが社会主義市場経済論であり、中国やベトナムの社会主義である。

社会主義市場経済論が多数派となるためには、経済理論が変わらなければならない。わが国の経済学者の間でも、社会主義と市場経済の両立を説く議論は増えている。しかしなお依然少数見解である。ここではこの点に立ち入らず、中国の理論家が、この点をどう論じているかについて述べたい。

中国では、長期の論争を経て、社会主義と市場経済、あるいは社会的所有と市場経済は両立する、矛盾しないという議論が現在では主流を占めている。しかしマルクス理論では、社会主義とは私的資本主義的所有の廃止であり、商品経済・市場経済の廃止であった。この矛盾はどう解決されているのか？

論理的には3つの解決が考えられる。マルクス社会主義論を、①当面実現可能性のない、究極もしくは極限概念とする、②過去の理解が間違っており、マルクスも社会主義市場経済を考えていた、③マルクス社会主義論の不備・誤謬を承認し、社会主義理論を再建する。

中国でも当初現れたのは①である。マルクス社会主義論はそのままに、中国は社会主義初級段階にあるから、商品・市場経済が必然となるという主張であった。②は当然ながら殆んど現れなかった。その後、次第に③の理解が多数になる経過をたどってきた。

私が理解してきた限りでは、中国ではマルクスの社会主義論の限界を説く議論は長らく現れなかった。少なくとも公式論壇ではタブーであった。その後、中国で圧倒的に影響力をもっていたソ連の『経済学教科書』やスターリンの『ソ同盟における社会主義の経済的諸問題』を批判する形で間接的にマルクス社会主義論の限界を指摘する論文が出現した。最後に、マルクス、レーニン、スターリンなど伝統的政治経済学理論の限界を説く議論が出現した。中国社会科学院院長である謝伏瞻は、2019年に次のように明確にマルクス社会主義論には社会主義市場経済論がないことを端的に指摘している。

「社会主義経済制度について、マルクス主義の古典の著者は、一般的構想を提出し、社会主義はただ国家計画下の生産物経済を実施するだけで、商品経済を行うこと、さらに市場経済を実施することはできない、そして国家計画があって初めて資本主義生産の無政府性状態と経済危機を克服できる、とした。この観念は幾世代にもわたるマルクス主義者により堅持され、長期にわたり社会主義国家の実践を導いた」(「新中国70年経済与経済学発展」『中国社会科学』2019年第10期、14頁)。

宋則(社会科学院財経戦略研究院)は、社会主義市場経済を否定したマルクス、エンゲルス、レーニン、スターリンの社会主義論がその後の社会主義の実践に深遠な否定的影響を与えたと端的に指摘している(「論中国社会主義市場経済的三個階段」『社会主義経済理論与実践』2019年6月、9頁)。

中国では伝統的政治経済学(マルクス経済学)も西方経済学も社会主義市場経済の可能性を否定したもので、この点では依拠できないことは今日ではほぼ共通認識化されているといえよう。

中国の経済学者は、日本の経済学者藤田整のように、そこから『資本論』の商品生産論の不備の指摘には進んでいないが、マルクス社会主義論の限界を明確に指摘しているのである。現存社会主義あるいは伝統的社会主義のもとでの計画経済は、マルクス主義の古典に導かれた制度と理解し、改革開放政策採用以後そこからの脱却をはかってきたのである。

日本では市場経済＝資本主義と理解する人々があまりにも多く、現代中国理解を誤らせているが、中国の経済学者たちは伝統的社会主義の計画経済は、マルクスの構想にしたがうものであったが、情報・利害・効率問題を解決できないシステムであると理解し、市場経済を前提とする社会主義構想に転じたのである。マルクス社会主義論は、全面的に否定されたわけではない。一定規模の社会的所有、経済の計画的運営、搾取の制限・廃止、共同富裕化などとして堅持されている。社会的所有と市場経済は両立する、経済の計画的運営は、全ての生産手段を社会的所有とする必要はない、などの点で伝統的社会主義を否定したのである。「公的所有主、労働に応じた分配主、共同富裕化と社会的連帯」は堅持されている。中国は市場経済化の方向を採用したが、私的所有や資本主義的所有の再興、階級社会の再興路線を選択したわけではない。社会主義市場経済の社会主義という形容詞は、計画的制御を意味すると中国では定義・理解されている。

市場経済の魂または利点は、人々の創意発揮をうながす自由競争である。自由競争は2面的であり、弱肉強食したがって両極への階級分化および寡占・独占形成による自由競争の否定をもたらす。私的所有は、公正な自由競争・効率化を阻害する。社会主義制度をとる政府の役割は、自由競争を階級分化・形成過程とせず、自由な創意発揮・効率向上と共同富裕化のシステムとして維持することである。それが具体的にどのような形となるかは、それぞれの国民の選択である。資本主義市場経済の下では、私的所有と階級社会の堅持、社会的所有化および共同富裕化の阻止が政府の役割となる。資本主義が機能し存続するためには、生産手段から分離された労働者の存在は絶対的必要条件である。

中国が社会主義市場経済化路線を採択して30年近く経過したが、先に指摘したように市場経済化は初歩的に確立されたにとどまる。生産要素市場の形成（生産要素の効率的利用の向上を目的とする）の推進、政府の機能と役割の改善はなお今後の大きな課題である。

中国で議論されているのは、国有企業をどの規模で維持するか、企業には所有形態を問わずできるだけ平等な競争条件（過去は外資優遇、国有企業優遇が行われた）を保障する、企業家・専門的経営者の確保などで、具体案については種々の理解があり、議論・論争が続いている。

四、中国における政治的民主主義の諸問題

中国の経済的発展と国際的プレゼンスの拡大に伴なって、中国の政治的民主主義批判がとくに先進国の側から強まっている。言論・思想の自由の抑圧、新疆・チベットなど民族問題、南・東シナ海など領海問題、軍事力拡大や核

兵器禁止問題への対応などである。これら中国の否定的問題は、党国体制、一党制など民主政体を採用していないところから生じていると考えられている。私もそう考えている。中国の民族問題、領海問題、基本的人権問題についての観念・認識は、極めて遅れている。中国マルクス主義は、社会主義と市場経済の関係については、新しく正しい認識に達している。しかし言論の自由をはじめとする基本的人権保障についての観念は極めて低い水準にある。

議論すべきは、なぜ中国を含め政治的民主主義や基本的人権保障の水準が高くない国々が多いのか、先進資本主義の国々で民主主義はなぜ機能不全に陥っているのかであろう。中国など近代化の後発国で民主主義の水準が低いのは、近代化の遅れからくる、専ら歴史的・観念的理由のためであろう。人民中国の場合は、スターリン主義という伝統的社会主義の圧倒的影響が近代民主主義の発展を遅らせた。マルクス主義は、アソシェーション（協議）の実現を理想とするが、大規模・複雑な国民経済を行政的調整（協議）にもとづいて計画的に運営しようとすれば、必然的に官僚主義・権威主義を生み出すことは避けられない。行政的計画化は、途上国社会主義においては、前近代的権威主義的体制ときわめて相性がいい。この意味で中国の政治的民主主義の遅滞の責任はマルクス主義・中国マルクス主義にもある。確かに人民中国は旧来の階級的編成をいったん徹底的に破壊した。ほとんどの人を貧しさの点で平等にした。私的所有そして階級編成は一旦徹底的に廃絶されたのである。しかし人民中国で「赤い皇帝」が出現し、現在のトップも取り巻きの全人代委員長から「偉大な領袖」とさえ呼ばれることがある。これは中国では皇帝をトップとする官僚階級が支配階級として政治的権力を行使してきた長い歴史と伝統を継承しているのであり、中国の歴史から見れば不思議ではない。エリート官僚階級と一般の人々との政治的・経済的・社会的・文化的隔差は極めて大きかった。この歴史は人民中国にも持ち越されている。他方、中国が社会的・経済的民主主義の面では急速で長足の進歩を遂げているのは中国マルクス主義の貢献である。

改革開放政策への転換により、国民の生活・福祉の向上は国是となり、国連基準の絶対的貧困層はほぼ消滅した。

経済発展に伴い富裕層が出現し、生活になんとかゆとりのある中産階層も次第に増しているがなお国民の3割に満たないのが中国の現実である。国民の豊かさへの欲求、先進国に追いつき、追い越せという官・民のエネルギーや勤勉は衰えを見せないのは当然であり、これが中国の経済発展を基底で支えている。豊かさ、ついで自由・平和というのが国民的コンセンサスであり、先進国並みの自由と基本的人権保障を求める中産階級はなお多数派を形成しえないでいるし、人権派活動家は苦闘している。だが将来には希望がある。当然ながら国民の不満、自由と民主主義への希求は高まり、強くなる趨勢にあるからである。

私は、ずっと中国の民主主義の水準は極めて低いと考え、そのように書いてきた。だが中国では民主主義の水準は総体としてみれば、確実に向上しているとも考えている。繰り返しになるが、推進力は国民の生活水準の向上およびそれに伴う不満の増大である。ある部分での後退はある。習近平政権は、政治的には保守的または守旧的である。前政権期の民主主義的雰囲気が消えた面がある。他方、汚職撲滅、幹部の特権廃止、透明性の拡大、経済改革の推進の点では、前政権よりはるかにアクティブであり、実績を上げている。私は、中国の政体の現状はアメリカの1部の学者が指摘しているように、「限りなく民主主義に近い一党制」であると考えている。

民主政体（普通選挙制）と基本的人権保障という意味での民主主義とは関係があるが、同じではない。両者の同一視は危うい。日、米、欧では、基本的人権保障は、中国よりはるかに上であるが、レベルの高い水準にはない、むしろ総体としては退化していると私は考えている。大衆の生活水準向上に失敗し、両極分化が進んだため、機能不全に陥っているからである。

経済分野の競争では、先進資本主義国は中国に敗れつつある。中国はヒト、モノ、カネを官民挙げて戦略的分野に集中的に投入する能力にたけ、それができるシステム・制度を持っている。研究開発費はすでにアメリカに次ぐ水準にあり、科学技術者の数では世界一である。日本はこの点ですでに敗退している。情報通信、ネット、ビッグデータ、

AIなど「数字経済」と呼ばれる分野での発展は目覚ましい。知識、技術、経営管理、ビッグデータ処理にかかわる人々の報酬システム・インセンティブ・モチベーションをどう強めるかを真剣に検討している。中国には大衆の消費制限に向かう理由も、国民の生活水準・教育水準の向上にストップをかける理由も、科学技術の発展や知的労働の報酬を高めることを阻止する理由はない。したがって、欧・米・日の国々は、経済分野で中国と競争して勝利する見込みは少ない。中国よりなお優位性があるのは生活水準、政治的民主主義および軍事力分野だから、これを強調するしかない。

他方、中国とくにその政治的指導部である中国共産党およびその周辺（共産党および共産主義青年団だけで2億人に近い）は、依然、欧米民主主義国の民主主義への不信は強い。これら民主政体・民主主義をとる国はすべて中国侵略に従事した国々であり、人民中国建国後は中国封じ込めをした国々である。すなわち民主主義国とは帝国主義国、いざとなれば軍事力を行使する国々、中国の発展の抑止に全力を挙げる国々と認識されているのである。

先進国では基本的人権の保障は常識化されているが、中国ではそれは正当に評価されず、形式的で中身のないものとしてみる見方が根強い。この歴史的理由から、両者の溝は深い。国際紛争を軍事力で解決しない、平和共存の下で国民生活の向上と自由の拡大で協力的競争を展開するというのが期待できるシナリオであろう。

最良のシナリオは、例えば日本がアメリカから軍事的に独立し、アジア諸国・中国と対等・平等な関係を築くこと、アメリカは世界中に配置している軍事基地を撤去し、国外での軍事力の行使から訣別すること、他方中国は、言論の自由を始め、基本的人権保障の点では欧・米・日の方が進んでいる面があることを承認し、それに学ぶことである。だがこれは、現在までのところ、日本人、アメリア人、ヨーロッパ人、そして中国人の大多数、とりわけ指導部の夢に入っていない。

他国の長所や欠陥は、しばしば過大に評価される。その現実についての理解不足のためである。私は、時に「中国の悪口や欠陥についてもっと語って欲しい」という批評に出会う。「真理も誇張されれば誤謬に転化する」という箴言がある。バランスを欠いた中国論でないことを願うばかりである。

III

中国は「社会主義をめざす資本主義」である：補足

大西　広

はじめに

本書がテーマとする「中国は社会主義か」という問題についての私の回答「本文」は本書巻末（030～037頁）におかれているので、読者にはまずそちらを読まれたい。これはシンポに先立って提出したそのままのもので、かつかなり整理された文章なのでこの問いへの回答としてまずは十分なものとなっている。ただし、それでもやはり、その周辺的諸問題や、シンポ当日に討論者や会場から出された多くの質問、さらには討論を通じて明らかとなった背景的な諸問題があるので、それらを本書で論ずることは意味あることと思われる。その趣旨から、以下、資本主義の有効性問題、「政府規模」と市場システムの問題、社会主義への移行の問題、「民主主義」の問題、中国外交の問題および香港問題を中心に論ずる。

一、資本主義はその可能性を汲み尽して初めて社会主義に移行する
――「社会主義か」と「良い国か」は別の問題

そこでまず述べたいのは、「中国は社会主義か」というそもそもの問題と「中国は良い国か」という問題の区別である。これは、私の「本文」③でも述べたので繰り返しとなるが、シンポでの討論を見て改めて皆の関心が後者であると感じた。これはそもそも、「社会主義かどうか」を考える人間すべてが「社会主義は良いものだ」と考えているからでもあろう。その「良くあるべき社会」を中国は自称しており、実際永らくそうした社会だと考えてきた。が、どうもそうではないかも知れないから改めて「社会主義かどうか」を問いたい、という流れとなっている。そして、実際、

私自身も「社会主義」を資本主義の後に来るべきより進歩的な社会だと考えているという意味では、「(今より) 良い社会」と「社会主義」を同じものと考えている。が、しかし、それはある条件が成立して初めて成立しうる社会である。言い換えると、資本主義の可能性が汲み尽くされない限り獲得のできない対象である。このことがしっかり認識されていないように感じるのである。

実際、私は中国は相当程度に「良い社会」だと感じている。日本では、人々が独裁権力下であえぎ苦しんでいるかのように報道されているが、たとえば男性60歳、女性50歳 (幹部クラスは55歳) の定年の後の彼ら彼女らは余暇を弄ぶくらい楽な生活をエンジョイしている。それは中国に行って公園や広場で太極拳やゲーム、カラオケで楽しんでいる姿を見ればわかる。また、日本では大卒でさえ多くは「非正規」労働しか見いだせず、よって最低賃金の下での過労死ラインぎりぎりの労働を余儀なくされているが、この「過労死」などという言葉は中国にはない (なかった)。ついでに言うと毎年発表されている世界経済フォーラムの「ジェンダー・ギャップ指数」でも日本は常に中国に遅れをとっている。日本のマスコミは日本のこの現実を合理化するために、他国の事、特に中国など共産党政権下の国 (あるいは革新政権下の韓国) の悪口に一生懸命であるが、我々は虚心坦懐に中国の庶民の現実を見なければならない。そこにはまたそれなりの問題ももちろんあるのではあるが、それでも日本よりまだ一人当たり国民所得の低い中国が14億人の民を対象にこのような生活を実現するに至っている。また、国民所得自身も大幅に改善させている。これらの意味で、まずは私は現在の中国をかなりな程度に「良い社会」であると感じている。[1]

資本主義的搾取の歴史的役割

ただしかし、それでも、その「良い社会」もまだ来るべき「社会主義」ではなく、よって相当に制約の多い「良さ」でしかない。「資本主義を乗り越えた社会」としての「社会主義」は搾取のない社会であり、その段階には現在いか

1　このことを主張するために、「中国がひどい社会というのは世界の常識」との井手氏のシンポでの発言への反論として言及したイギリスBBCによる世界世論調査の結果を次の図で示しておきたい。これは「中国の影響力についてどう思うか」という質問に対するものであるが、日本の見方が特別に偏っていることを示すとともに、”mainly positive”と”mainly negative”が世界的には拮抗していることを表している。この”world average”は各国人口の大小を勘案しない場合の計算であるが、それを勘案すると、”mainly positive”と”mainly negative”の割合は5：3となる。中国は世界的には「良き国」として認識されているのである。

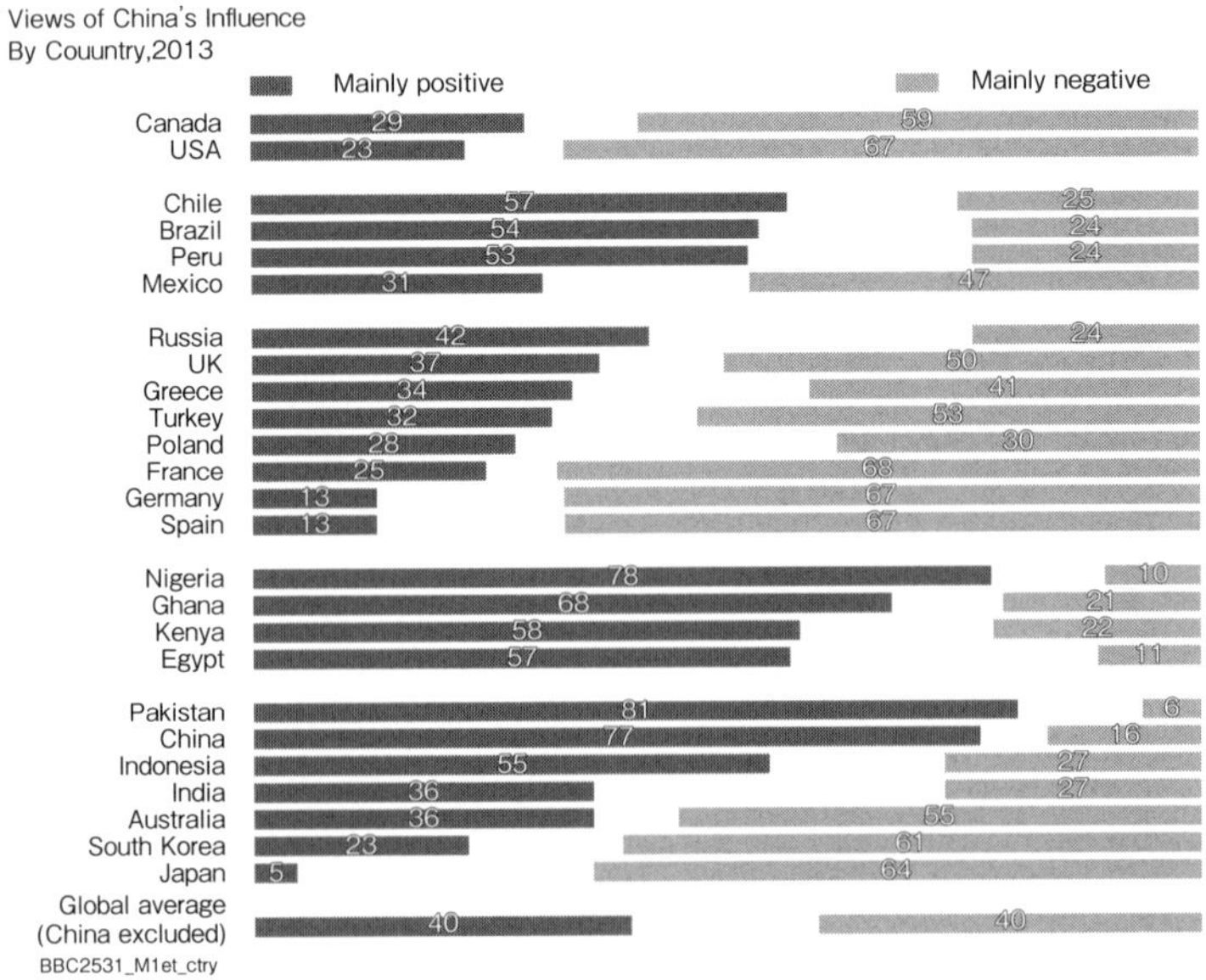

出所）英国放送協会（BBC）国別好感度国際世論調査より（2013年）

なる意味でも達していない。「社会主義」か「資本主義」かという問題は（外交によって判断されるのではなく）生産関係によって判断されるのだから、労働力を売る労働者階級とその対価として賃金を支払う資本家階級によって構成される社会には「資本主義的搾取」が存在し、したがって「資本主義」である。そして、その結果、労働者は自分の生み出した価値の一部しか資本家から受け取れず、逆に資本家はそれによって巨万の富を蓄積し続けている。そしてさらに、その「富」は企業を驚くほどに成長させ、今やＩＴ、ＡＩを含むほとんどの先端産業で中国はトップを走る国となっているのである。

したがって、この事情を圧縮して要約すると、現在の中国は資本主義だから搾取があって格差も拡大している。が、それが故に経済や技術も急成長している、となる。多くの学者たちが資本主義を肯定し、人々もそのシステムを基本的に容認している（根本的な転換を求めていない）のにはこのような事情がある。大きな意味では、この体制は歴史の課題を果たしつつあり、つまり有効に機能しているのである。この場合、「必要悪」としての資本主義はむしろ選択され、推進こそされねばならないのである。

実際、マルクスの用語で言う「必然の国」に生きている限り、すべての善きことが善き結果を生むということはない。この「必然の国」の概念を近代経済学の用語で表わせば、「資源制約」ということとなるが、その条件の下ではあるものを得るためには別のものを棄てなければならない。成長が資本蓄積と同義となるという条件の下では、成長のための消費制限は不可欠となり、そのもっとも手っ取り速い手段は富者への富の集中となる。つまり、言い換えると「格差の拡大」という悪しき状況が「必要悪」となるのである。

社会主義の生産力的基盤

もちろん、資本主義が永遠でないことを主張するマルクス経済学者としては、そうした状況が「必要」とならなくなる状況をも説明しなければならず、それをシンポでも説明した。資本蓄積には上限があるという理屈である。紙数の関係でここで再現することはできないが、慶應義塾で使っている私の教科書（大西『マルクス経済学（第3版）』慶應義塾大学出版会、２０２０年）ないし、碓井・大西編『格差社会から成熟社会へ』（大月書店、２００７年）の第3章を参照されたい。

ただし、もうひとつ、この点と関わってフロアーからの質問との関係で述べたＩＣＴ技術やＡＩ技術などといった「まったく違った技術」の登場という条件についてもやはり付言しておきたい。というのは、こうした技術の登場は「神経労働」を代替し、人間に残される唯一の労働を「精神労働」のみとする可能性を持っているからである。筋肉労働を代替する機械と神経労働を代替するＩＣＴ・ＡＩ技術が普及すれば（つまり、この技術を持つ資本設備が十分に蓄積されれば）、各企業は市場システムの下では「それら以外」の独自の優位性で勝負しなければならなくなるが、それは最後に人間に残された創造的労働＝「精神労働」となろう。私の生産力理論は故中村静治大阪市立大学名誉教授に由来するが、氏は機械製大工業の下では資本主義しかありえず、したがって社会主義を必要とするのはまったく新しい技術体系であるとされていた。当時にＡＩ技術は存在しなかったが、生きておられればＡＩ技術を新社会を必然化する技術体系として主張されたであろう。これが私の考える「社会主義の生産力的基盤」である。

二、「政府規模」の長期法則と市場システム理解の問題について
——資本主義の定義について

以上、「社会主義」の生産力的条件が成熟するまでの「資本主義」の必要性を説明したが、この説明ではまだ「資本主義」

と「社会主義」の定義に関わる議論とはなっていない。したがって、次にこれらの定義に関わる補足的説明をしておきたい。そしてその最初の点は、通常、「資本主義」の定義的内容とされる「資本賃労働関係」についてである。山本氏の「資本主義」の定義はこれによって与えられ、私もまたその趣旨（「市場システム」の有無は定義に関わらないという趣旨）には賛成するからである。

ただし、私が「本文」で与えている文章でもっとも「定義」に近いのは「資本蓄積が社会の第一義的課題となった社会」、要するに「資本（が第一義）の社会」である。そして、そのためには「資本」が「労働」を搾取しなければならないから、そのための独自な関係が「資本」と「労働」の間に築かれる。それを「資本賃労働関係」と私は呼んでいる。趣旨は山本氏とほぼ同じと理解しているが、私の場合、産業革命後の社会では「資本蓄積」がどうしても社会の第一義的課題とならないわけにはいかない、という生産力的な意味合いを明示しているというのが相違となろう。山本氏との間で、私は「定義は史的唯物論的な基礎を持って語られるべき」としつこく主張したのはこの趣旨からである。シンポジウムに到る討論でこの趣旨を伝えきれなかったのは残念である。

「定義」に関わる次元では、山本氏と私との考え方の相違は以下の意味でも「紙一重」であった。それは、中国各時期の捉え方に関する両者の相違を以下のように整理することによって理解される。すなわち、

	毛沢東時代	改革開放後
山本氏の理解	国家資本主義	（大きな政府型）国家資本主義
大西の理解	国家資本主義	（大きな政府型）市場資本主義

要するに毛沢東時代の捉え方も同じ、改革開放から現在に至る体制も「大きな政府型資本主義」と捉えるという意味では同じ。ただ、その上で後者を「国家資本主義」とするか「市場資本主義」とするかといった違いのみとなっているからである。シンポジウムで明確に山本氏が述べられたように、この最後の違いは「生産要素市場が十分に成立

しているかどうか」の判断から来ている。同意はできないが、ありうる定義であろう。いずれにしても、確かに「紙一重」である。

国家縮小の一般的傾向としての認識の必要性

ただ、ここまで来るとはっきりしておきたいのは、このどちらの理解でも国家の傾向的縮小が認識されているということである。これまでの伝統的な社会主義論は、国家規模の増大をもって歴史の必然と捉えてきたが、現実の歴史はその逆を行っている。中国に限らず、旧ソ連・ロシアについてもそうであれば、日本やドイツといった西側諸国でも同じである。そして、もしそうであれば、これを歴史の一般的傾向として認める必要があるのではないだろうか。そして、さらに、この「国家の縮小」の延長で未来の「社会主義」を考える必要があるのではないだろうか。今回のシンポジウムでも、「国家の死滅」との関わりで社会主義を論じられたいとの意見が後に質問票の形で出されている。シンポジウムの論者全員が一応のところ、鄧小平による市場経済システムの導入を肯定的に捉えていたという意味でも検討されたい論点である。

市場システムは時に格差の縮小を帰結する

その点で気になったのは、聽濤氏がもっとも明確に主張されていた「市場システムは資本主義を帰結する」という考え方である。この考え方の背景には、旧ソ連を「社会主義」であったとする理解があるものと思われ、それはまた従来の一般的な考え方であった。その趣旨でこの主張は理解できないわけではない。ただし、それでも「社会主義」の定義自体を見直そうとしている本書として、あるいは上記のように鄧小平による市場経済システムの導入に全体として肯定的な立場をとろうとしている本書としてはもう少し原理的なレベルで考え直す必要があるように思われる。

端的に言えば、私は市場システムは時に格差の縮小を帰結する、したがって、その条件を特定化することこそが重要ではないかと考えている。

実際、たとえば企業間の市場競争が規模格差を拡大すると述べる時、その背景として大規模企業の方が効率性の点で優っているとの判断がある。[2] そうでなければ、競争上大規模企業が勝利できないからである。が、規模の大きいものほど効率が高いと言う性質＝規模に関する収穫逓増という技術はそれほど一般的なものではない。たとえば、日本の農家や漁家の規模は個人企業レベルで平準化しているが、これはその方が効率性が高いからである。市場競争というものはただ効率性基準で振り分けをするのであって、規模自体を基準として勝敗を決しようとしているわけではないのである。付言すれば、そうだからこそ「市場原理主義者」が発生し、彼らは彼らで小規模でも効率的ならそれらが生き残れる市場競争こそが大事と考えているのである。

実のところ、この問題は「生産力主義」としてのマルクス主義にとってはかなり重要な問題である。マルクス主義は、既存の体制が止揚されなければならないのはそれが生産力発展の桎梏となった場合であると規定しているから、市場メカニズムが効率性基準で「優勝劣敗」の作用を果たすことを一般的には否定できない。というより、私に言わせれば、それに反対することは一種のラッダイト運動である。歴史の一般法則に歯向かうことを「進歩的」という事はできない。

2　実のところ、「市場競争による格差拡大」はこうした企業間の問題だけでなく、①労働力商品の売買に関わる企業と労働者の間や②その売り手間＝労働者諸個人間の問題としても議論しなければならず、その場合、労働組合という「売り手カルテル」などある種の競争制限の必要性が認められなければならない。それはその通りである。

ただし、そうはいっても、もちろん、現実のこの「歴史法則」が現場で庶民に今どのような状況をもたらしているかを無視するわけにも行かない。歴史法則ではあっても、それが庶民にあまりに過酷な状況を強いているのであれば、その進行をコントロールし、あるいはその補償措置をとるべきだろう。もっと言うと、問題の焦点は、この法則の進行に伴うコストを誰が負担するのかというところにあると私は考えている。小泉純一郎は改革を進めるにあたって常に「痛みを伴う改革」という言葉を言い続けてきた。そのとおりである。「痛み」が伴われる。が、問題はその「痛み」を誰が引き受けるか、引き受けさせるかである。つまり、社会的強者たる資本家階級が担わなければならないのにも関わらず、社会的弱者にのみ負担が強要された。そして「改革」自体に反対した我々自身も反省しなければならない。「改革」自体に反対して安心してはならず、そのコストは誰が負担するのかといった問題にもっと関心を向けるべきであった。そのように私は考えるのである。[3]

3　これら「自由化」問題とは少し次元が異なるが、年功序列の日本的経営からの脱却という現在の経営改革に対する労働者側の対応にも同様の問題がある。というのは、労使協調や企業の不祥事隠しなどの温床となった日本的経営を過去に批判してきた労働側が、ここに来て「過去は良かった」というようなキャンペーンに転じていることである。これは、「経営改革」を主導する経営側がこの制度変更に伴うコストをすべて労働側に負担させようとするものなのである種当然の反応ではあるが、それでも「改革」の方向性に関する異論ではなく、そのコストを誰に負担させるかという争いであるという本質をもっと明確にすべきではないだろうか。このような意味で、「歴史法則」に庶民＝労働側がどう対応すべきかという現代的課題と「社会主義」の問題は連続している。

三、どのように社会主義に向かうのか――株式会社社会主義論とも関わって
――中国共産党はどのように社会主義に向かっているか

続いて論じたいのは「社会主義への移行の問題」であり、それを私は「本文」の⑤で実は論じている。が、山本氏からそれは「社会主義に向かう変革プロセス」として認識されなかった。そのため、ここでは「本文」を一部要約しつつ、他方ではそれが「変革プロセス」そのものであるということを論じたい。そのため、まず「本文」の⑤で述べた内容を簡単に要約する。すなわち、

①「政権党の移行の意志」はその財政政策に集中的に表れる。
②財政支出面での貧困対策がかなり充実している。
③ただし、財政収入面では所得税の最高税率の低さ、相続税の不存在など問題が多い。[4]
④この点で障害となっているのは党内における資本家階級の影響力。[5]
⑤したがって、今は階級闘争が不可欠。その手段が反腐敗闘争。

4　ただし、所得再分配政策としての意味を持つ不動産税の導入は一部で既に始まっており、全国的実施も間近となっている。

5　「共産党内の資本家階級の影響力」と聞いて驚く読者もいようが、この問題は江沢民が「3つの代表」理論によって私的資本家階級の入党を認めたことから始まっている。当時はこの新方針に激しい反対論もあったが、最も「反毛沢東的」たる江沢民がそれを押し切って実現させた。その後、約20年が経ち、資本家階級の共産党内への影響力が絶大なものとなっているとの研究もある。

となる。「社会主義」についての私の定義に従う限り「資本蓄積を第一義的課題としない社会」にどれだけ移行するかがポイントしなるので、そのためには上のような再分配政策は志向性としてそもそもが「社会主義的」、少なくとも「ポスト資本主義的」である。言い方を変えれば、「社会主義」とはある時期を決めてそこから急になるというようなものではなく、それ自体が徐々に進行する過程である。そのような理解が私の「定義」に含まれていたことを確認していただければ幸いである。

不特定多数の「大衆株主」が企業の決定権を握る「株式会社社会主義」

ただし、それでも、「社会主義的変革」が「所有変革である」と認知されている以上、上の説明だけでは不十分とのクレームにも理がある。山本氏としてはそこがポイントなのではなかったか。そして、そのためには、「本文」では説明を省略した私の「株式会社社会主義論」について、ここで論じておかないわけには行かない。政府がどうあるか、だけではなく、企業がどうあるか、がなければ社会主義論とはならない、というサイドからの議論とも言える。

そして、その趣旨から私の「株式会社社会主義論」を論じるとこうなる。議論の出発点は、マルクスそれ自身も株式会社を『資本論』第三巻第27章で「私的所有としての資本の廃止」、「直接的社会的所有としての所有に再転化するための必然的な通過点」、「これまではまだ資本所有と結びついている再生産過程上のいっさいの機能が結合生産者たちの単なる機能に、社会的機能に転化するための通過点」（ディーツ版、４５３頁）と論じたということにある。確かに、マルクスはこの時点ではまだ証券取引制度については批判的であったが、彼の死後、エンゲルスは証券取引制度の発展に以下のように最大限の期待を寄せる。すなわち、

「（マルクスの時代にはそれは二次的な要素、資本家たちが互いに奪い合う場所、資本主義の退廃であったが）今はそうではない。……１８８５年以来ひとつの大きな変化が生じて、それが今日では証券取引所に著しく高められ

た役割を与えており、しかもその役割はますます大きくなりつつある。そして、この変化がさらにいっそう発展すれば……資本主義的生産の最も際立った代表者になる」（「『資本論』第三巻への補遺」『資本論』第三巻、ディーツ版、917頁）

そして、その上で述べたいのは、その後百数十年間の発展、改善が現代にまで続いていることを踏まえれば、我々がエンゲルス以上の評価をすることも可能ではないか、その方法で「所有の社会化」を考えられるのではないか、ということである。

実際、株式制度がそれ自体として「所有の社会化」であるということを超え、その「所有」たるものの実質を置塩信雄に従って「決定権」と捉えるなら、大衆株主が各社の業績を見て株式の売買をすることは、「市場の意思」という形で「大衆」が経営者に圧力をかけ続けていることを意味する。この下で、「経営者」は自分の好き勝手な行動は不可能で、ともかく株価が上がるような真面目な経営努力を毎日毎日続けねばならない。これはまさに「（企業の持つ）生産力の発展」を実現するための合理的圧力であり、それを「大衆」がかけている。これは「所有の社会化」ではないか、と考えるのである。

もちろん、現在の株式制度、証券取引制度にも問題が多く、その改善は不可欠である。また、「大衆株主」ではなく一部富裕層や機関投資家が相場を支配しているという現実もあり、さらには、そもそも「株価最大化」という企業の行動原理は賃下げ・リストラへの誘因ともなる。最後の問題の解決には、労働者の交渉力を高める様々な措置とともに、労働条件の改善自体が企業競争力を引き上げるというような生産力次元での根本的な転換も必要となろう。ただし、それらの条件が整えられた時、官僚が支配する公企業体制は不要となる。国有企業制度や労働者自主管理制度の問題点（さらには現実の協同組合やＮＰＯなどの「社会的企業」が持っている問題点）を知った我々としては、そうした市場システム的な「所有の社会化」の道を考えなければならないと考えるのである。

「本文」の⑦で述べたように、現実の中国は国有企業体制ないし共産党組織を通じた私企業のコントロールというものが極めて有効に機能しているから、当面は以上のような私の主張が「中国マルクス主義者」に受け容れられる可能性は少ない。が、とはいえ私企業体制と株式制度の発展は急速であるから、こうした問題の検討もそのうちに不可欠となるであろう。ともかく、この中国でも市場経済化の先に国家官僚制から自由な、真に「社会化」された企業制度が生じうる、という意見である。

四、「自由」は目標、「民主主義」は手段
——「民主主義」は手段にすぎない

「経済体制」次元の話は以上で終えて、ここから先は「政治」や「外交」、言い換えると「民主主義」や「大国主義」という次元の問題に話題を移す。その最初のものはいわゆる「民主主義問題」であり、私を除くすべての報告者は「民主主義」を当然のもの、目指されるべきものとして議論された。が、私がシンポで述べたのは、そう簡単なものではないということ、あるいは「民主主義」は手段ではあっても目的ではない、ということであった。

もちろん、私もマルクスやエンゲルスが民主主義制度を時に評価したことを知っている。が、それには「発達した諸国において」という限定が付いており、逆に言うと、それが「手段」として評価されたのだということを重視したい。つまり、マルクスやエンゲルスにとって、「民主主義」はある条件下で労働者階級の利益追求に役立つという理由で肯定されたのであって、その「目的」は「労働者階級の利益」にあった。そして実際、我々も現実政治の選挙で負けた場合、その民主主義的決定に従うとはいえ、それを「良かったこと」と評価しているわけではない。つまり、実際

のところ、決めた過程が民主主義的であったかどうかより、その決められた内容自体で良し悪しを判断していないだろうか。これは原理的に言うと、「民主主義」と「労働者階級の利益」をはっきりと区別し、優先する判断基準を後者に置いているということになる。[6] マルクスとエンゲルスは労働者階級が資本家階級と比べて人口が圧倒的に多いために「多数決原理」たる、つまり「デモス」の「クラシー」たる民主主義の利用を主張したにすぎない。それは「手段」にすぎなかったというのがポイントである。

6　実際上、中国の多くの国民もこの線で合意している。たとえば、昨年、中国では「第一書記」という映画が封切られたが、そこで描かれていたのは、村民の意思に刃向かって村政を良い方向に導いた小崗村という寒村の党書記をたたえる実話である。「村民多数派の意思」に従うことより、結果として村を豊かにできたかどうかということの方が重要との一般的共通認識である。中国での「非民主」も実際上はかなりな程度に有効に機能している限り、こうした認識は一般的であり続ける。もちろん、その反例も数多あるので、習近平は「反腐敗」に頑張らねばならない。特に党内向けの規律強化キャンペーンは重視されている。そして、これらの結果、中国国民の政府に対する信頼が非常に高いという現実も知っておいた方が良い。アメリカの大手広告会社エデルマンが２０１８年に行った世界規模の調査では「自国政府を信頼する」と答えた中国国民は84％に上り、アラブ首長国連邦の77％、インドネシアの73％を抑えて堂々の1位であった。日本人は「中国国民は政府の支配に苦しんでいる」と勝手に思っているが、これが現実である。今回のコロナ禍でも中国国民は各人のプライバシーを投げ出してコロナの蔓延阻止に協力した。日本では中国政府のこうした情報独占に批判的な人が多いが、大多数の中国人が自発的に情報を提供していること、その背景に政府への信頼の高さがあることを知らなければならない。

さらにまた、「多数決原理」が時に困った結果を導くことにも注意を促したい。たとえば、「少数民族」は定義的にそもそも多数者でなく、ＬＧＢＴなどもそうである。また、我々マルクス経済学者は殆どの経済学部で少数者となっているから、「多数決原理」で利益を受けたことがない。そして、そのため「多数であるかどうか」ではない別の決定原理を永らく求めてきた。たとえば、「多様性」という判断基準である。詳細を述べる余裕はないが、[7]マルクス主義が伝統的に採用してきた「議会制」は「ソビエト（評議会）」という各種利益集団間の「合議制」であって、そこでは「同盟関係」にある諸利益集団の成員数は重要視されていなかった。たとえば、「知識人」はたとえその構成員数が少なかろうともその利益は守られた。「多数決原理を超える」とはこういうことであり、私はこちらの方が西側的民主主義より優れていると考えている。ちなみに、中国ではこの制度は「政治協商会議」をはじめとする「協商制」として制度化されている。

他方、「自由」は「目的」である

「多数決原理」を超える試みは「熟議民主主義」という形でも存在する。「多数で決める」のではなく「熟議をする」ことに意味を見出そうとするものであるが、これを私の属する研究グループでは「民主主義」ではなく「自由主義」の立場のものだと理解してきた。上で言及した碓井・大西編『格差社会から成熟社会へ』（大月書店、２００７年）の第４章高橋肇論文がそれである。私の言葉で言えば、少数の異論があればそれを押し切って「決める」のではなく「決めない」こと、言い換えれば、その少数者の自由に任すという判断であるからである。ここでは、上で述べた「合

7　詳細に関心ある読者は、大西『中国に主張すべきは何か』かもがわ出版、２０１２年、第７章参照のこと。

議制」にも似ているが、最終的に「決めない（一律の決定を行わない）」ことが重要である。

ところで、こうして「民主主義」と「自由」の区別に注目すると、「自由主義」の経典たるジョン・スチュアート・ミルの『自由論』が想起される。ここでは「民主主義」が時に「全体主義デモクラシー」となる危険性が鋭角的に指摘されており、若い頃これを読んだ時には相当強烈な刺激を受けた。我々は「民主主義」の危険性に無頓着であってはならない。

したがって、ここで「民主主義」と区別された「自由主義」という視点からマルクス主義を振り返って見た時、我々が気づくのは「民主主義」とは違って、「自由」は「目的」となっていることである。実際、マルクス・エンゲルスは「社会主義社会」のことを『共産党宣言』で「各人の自由な発展が万人の自由な発展のための条件である協同社会」と呼び、『資本論』でも「必然の国」に対して「自由の国」という概念を対峙している。私が、政治システムとしての「国家の縮小」を主張する理由のひとつもここにある。

なお、以上のように「民主主義」への警戒を強調すると「本文」⑨で私が毛沢東的な「大民主」の復活を唱えたこととと矛盾すると思われる向きもあろう。が、今回は、その「大民主」も含めた「民主主義」全体の問題点をより突っ込んで議論するということをした。今回の方がより根本的本質的な議論となっていると理解されたい。

五、来るべき「中国覇権」は「よりましな世界秩序」
——中国は一貫して軍事介入に反対

続いて次に「外交」の問題を論じる。そして、それは当然に「大国主義」や「覇権主義」の問題ということになり、私はその原因を「本文」で中国がすでに国家独占資本主義の段階にあるということから説明している。それは対外的には帝国主義とならざるを得ないからである。ただ、その上で、こうした理解をより正確にしておくためのいくつかの補足的な問題を指摘しておきたい。

その第一の点は「大国主義」の定義である。ここではそれを大国が持つ小国より大きな力を使った国益追求の行動と理解している。言い換えると、大国であってもその外交上、軍事上の優位性をわざと使わなければ「大国主義」とはならない。が、本節最後に述べるような「国益無視」の態度でない限り、すべての大国が「大国主義」となることは避けられない。たとえば、中国の軍事費は２００９年度から２０１８年度までの10年間２・45倍に増えたが、ＧＤＰの方は２・58倍に増えており、軍事費のＧＤＰ比率は（日本と違って！）低下している。「中国の軍拡」と言われるものが経済規模の拡大によるものであることを知っておくのは重要である。

ただし、もちろん、日本の平和主義者からすると、こうして「抑制された」軍拡にもまだ違和感がある。日本人は１９４５年の敗戦で「反軍思想」がかなり広範な国民意識として定着するに至っているからであるが、しかし１９４５年に至るこの同じ歴史が中国に「軍備は重要」との国民的体験を与えてしまっていることを知ることも重要である。私個人がつきあっている真面目な中国人たちもその全員がこの体験を根拠に「軍備は重要」と主張している。そして、我々日本人が知らなければならないのは、そうした体験を中国人たちにさせたものこそ、我々日本人であるということである。中国を侵略し、人権を蹂躙しまくった我々日本人が中国をそうさせたこと、その責任への自覚のない中国軍拡への批判はあってはならない。現在の日本も、憲法九条改悪という同じ過ちを繰り返そうとしている。この時にはなおさらである。

実際、そうした視点で中国の「大国主義」を振り返って見た時、外交努力の中心が非軍事的なもの、特に一帯一路やＡＩＩＢなど経済援助や経済協力となっていることを否定できない。この間も、アメリカはイランの司令官（実際上は外交官）を爆殺し、戦争の一歩手前まで進んだし、２０１７年には北朝鮮との間で戦争を始め、我々日本も戦場にさせられかねないような状況が生み出されたが、こうしたアメリカの「覇権主義」を中国のそれと同じとするような議論は滅茶苦茶である。中国はお金で外交を買っているとよく言われる。太平洋やカリブ海の小国に台湾と断交させているのはこの力によるものである。が、アメリカはアラスカをまさしくお金によってロシアから買っており、それを正当な外交の在り方だと主張する限り（これが国際法学の常識である）、中国のこうした外交を非難することはできない。我々が「国際紛争は軍事でなく外交で解決を」という時、その「外交」にはこのようなものも含まれる。軍事だけは絶対にダメ、という主張はそれ以外なら何でもＯＫという趣旨をも含んでいるのである。

私はこれらの意味で、「アメリカ覇権」解体後の「中国覇権」の世界を当面の我々の獲得目標である（つまりそれを推進しなければならない）と主張してきた。それが理想的でないことは明らかではあるが、封建制解体が課題であった当時の歴史的課題が「資本主義制度の獲得」にあったのと同様、世界の秩序もステップ・バイ・ステップで進歩する以外にはない。その当面の獲得目標に何らかの問題が孕まれているからと言って何もしないのであれば、社会変革の推進者とはなれないからである。

「社会主義にあるまじき外交」とは何か

ところで、最近、中国を「社会主義をめざす国」と言えるかどうかをその外交姿勢で判断するとの議論が出されている。この議論は「社会主義」や「資本主義」といった問題が生産関係の問題であることを理解しないという決定的な誤りを含んでいるが、「社会主義をめざすという以上、外交はこうでならなければならない」というレベルで議論をすることはできる。言い換えれば、「国際共産主義運動の大義」という次元でそれが守られているかどうかという判断基準である。

しかし、もしそうすれば「国際共産主義の大義」とは何かとなるが、私の場合、それは自国や自党がたとえ不利益を被っても他国における共産主義運動の前進に貢献する、というものだと考える。そして、そのために（質問票で私に対する質問もされたので）、「本文」では少ししか言及できなかったベトナム外交の問題について述べておきたい。それは端的に言って、中国との対抗上、アメリカや日本の帝国主義とも手を握ろうとする外交姿勢である。

このことを体験的に述べると次のようになる。私は京都大学時代に2度、ベトナムとラオスの若手研究者を招待した「社会主義セミナー」を主催したことがあるが、そこに招待したベトナム社会科学院日本研究所副所長の女性が私との最初の挨拶で「日本の安倍首相はすばらしいですね」と同意を求めてきたという話である。彼女にはセミナー主催者の私がマルクス主義者であることはもちろん知らせてあったが、その私が安倍首相を支持していると考えていたこと、彼女がベトナムで2番目の「日本通」であることを考えれば、ベトナムでのマルクス主義教育がまったくなっていないことが分かる。[8] そして、もっと問題なのは、ここで彼女の頭にあったのは、「反中」のために行動するアメリカや日本は素晴らしいということでしかなかったということである。私はベトナムの国益が中国の国益と矛盾している以上、彼らが「反中」であるところまでは理解するのであるが、そのためなら帝国主義とも同盟するというのは如何なものであろうか。過去における我々のベトナム反戦運動は「日本の国益」のためのものではなく、「国際正義」のためのものであった。そこで国際支援を受けたベトナムがこのような態度でどうするのか。日本におけるベトナム

8　ベトナムにおけるマルクス主義研究は国家機関としてのベトナム社会科学院哲学研究所と党機関であるホーチミン研究所で細々となされているが、大学ではほとんど皆無である。長年の努力で私がようやく探し当てたベトナム国家大学ハノイ校のマルクス経済学者も海外の近代経済学者と英文の共同論文を書いているような人物であった。

反戦運動の実際も当然知っておかねばならない「日本通」の彼女の頭までここまで曇らせるナショナリズム、国益中心主義は「国際共産主義運動の大義」の対極にあるものである。

しかし、もし、このような意味で中国も評価するのであれば、中国を種々に論じる我々自体の姿勢への反省もが必要となる。言い換えると、我々自身が「自国や自党がたとえ不利益を被っても他国における共産主義運動の前進に貢献する」という姿勢を貫徹できているかどうかである。現在、日本で出回っている国際情報には西側的なバイアスがかかりまくっている。その状況下で、中国やベネズエラを批判すれば、それは「大衆」からの支持の獲得に有利となるかも知れない。が、そういう判断をしてはいけない。純粋に曇りなく中国やベネズエラの評価を科学的に行うというのが「国際共産主義運動の大義」を守るということである。

内政不干渉原則はそう簡単に変えられない

なお、こうした国際問題に関わるので、この項の最後に内政不干渉原則の修正を図る最近の議論についても言及しておきたい。日本人の多くが中国の人権問題を取り出し、「人権問題は不干渉原則の例外」と考え始めているからである。たとえば、文革期の中国からの介入に抵抗し、よって不干渉原則の最も強力な主張者であったはずの日中友好協会でさえ、その内部に「真の友人とは何でもいえる間柄でなければならない」ということで中国の内政に意見すべきとの意見が発生するに至っている。しかし、安易にこの立場に立つことはできない。危険である。

確かに私も「真の友人とは何でも言える間柄でなければならない」との意見には同意する。そんな関係になりたいと私も非常に強く思う。ただ、そういう時、それが意味する内容を十分に理解しているかどうかが問題である。なぜなら、この立場は相手が日本の内政や日中友好協会の運営に意見することをも意味するからである。

たとえば、中国が日本に残る天皇制という身分制や同和問題、アイヌ問題、貧困対策の貧困さなどに意見を持ち、よってその問題について日中友好協会も運動しないといけないとか、そういう議論をして来た場合どうするかという問題である。私の評価では、日本側の我々の方がそうした「介入」を受け容れる心の準備ができていない。言い換えると、「真の友人とは……」との立場を本来は私も欲するのであるが、そうした関係の構築には上のような心の準備が我々の側にもできていなければならない。が、それがまだ不十分ではないだろうか、というのが私の意見ということになる。[9]

実際、他国からの干渉に我々がなぜ反発するかを考えた時、「日本のことは日本の人間こそがよく知っている」との考えがあることに気づく。たとえば、現在の天皇制をどう考えるかには王政というものへの原理的一般的な理解だけでは不十分であって、たとえば現在の平均的な日本人がそれをどのように捉えているかといった実情の正確な理解が伴っていなければならない。同和問題、アイヌ問題、貧困対策の貧困さといった各種の人権問題についても、それについて中国の干渉を認めるようなことをして、その結果本当に干渉してくればどうなるかも一度考えてみた方がよいと思う。「内政不干渉原則の修正」とはそういう深刻な内容を伴っているのである。

もうひとつ、内政不干渉原則をそう簡単に放棄できない理由には、それを放棄した途端、民衆の中にある対立する複数の運動のうち、どちらを支持すべきかを外国勢力である我々が決めなければならないということもある。たとえば、現在の香港でも、「親中派」の行動の多くは「民主派」の暴徒による殺害や暴行に抗議する人権擁護運動となっており、私自身も現実にそのひとつを目撃した。このような場合、「民主派」と「親中派」のどちらが正当で他方は不当と外国人である我々が判断すべきなのだろうか。たとえば、日中友好協会や国際連帯グループがそれぞれの組織内部でその問題を議論して決めるのであろうか。あるいは、個々の日本人がそれぞれに気に入る集団を個別にサポー

9　もっと正確に言うと、「友人」たる相手にもそれを受け容れる心の準備ができていることの事前の確認もが必要となる。

トするのであろうか。「内政不干渉原則の放棄」とは他国の内政を上から目線で判断し、自分たちの基準を押し付ける行為であることを知らなければならない。

私が実際に思うのは、我々は知らない間にアメリカ的な思考法に頭を汚染されているのではないか、ということである。実際上、世界で「人権問題は原則外」と言われるようになったのは、ソ連東欧の崩壊の後、「人権問題は原則外」との論理がアメリカ帝国主義の介入政策にとって好都合となって以降の話である。そして、この結果、パレスチナでイスラエルが何をしているか、アメリカやカナダの先住民がどういう扱いを受けているかは不問とされた上で特定の国の特定の問題だけが扱われるようになっている。たとえば、香港の「民主派」はデモの先頭に星条旗を掲げて、こうしたアメリカの介入を引き出すことに成功しているが、そのアメリカが先住民の人権を蹂躙していることに介入する気があるとは思われない。彼らが実際にしていることは、それらの悪行がないかのようにふるまう、ということである。「内政不干渉原則の放棄」とはこうしたことにつながる、非常に重い問題だということを我々は知らなければならない。

六、香港「民主派」のデモはどう理解しなければならないか
――香港デモへの基本的評価

こうしてどうしても香港問題はここで言及せざるを得ないテーマとなってくる。シンポでもひとつのテーマとされ、私自身は今回も3度の現地調査をしているので、必要最低限のコメントをしておきたい。そして、その最初に紹介するのは、「香港での暴力デモは運動の破壊者、真の敵は香港財界」とのタイトルで書いた私の小文 の要約である。す

なわち、
①我々が国際問題を論じるには、㋐暴力に反対する、㋑内政干渉はしないとの原則を堅持しなければならない。
②その原則から香港デモを評価すると、「民主派」の一部にある暴力行為は㋐の原則に反し、また「民主派」の運動自身の重大な障害となっている。さらに、その資金のほぼすべてをアメリカの国家財政に依存する全米民主主義基金が前回の「雨傘革命」時と同様、介入していることも㋑の原則に反する。
③しかし、「民主主義」を議会制度に閉じ込めない「大民主」としてのこうした大衆行動が広がっていることは素晴らしい。
④前回の「雨傘運動」を上回る規模を当初に誇れたのには、今回は資本家階級もが当初に運動参加したためである。前回は選挙制度をめぐる闘争であったため、資本家階級は「民主派」と対抗する立場にあったが、今回は彼らも大陸からの不正送金などの悪事で逮捕されることを恐れ、この運動に参加した。これが運動当初に数十万規模のデモを実現できた理由となっている。ただし、香港政府による逃亡犯条例改正案の撤回により彼らの運動参加は終わり、運動規模は急速に縮小している。これには暴徒化による市民の反発も原因している。
⑤若者が中国に反発する経済的理由には、中国資本や観光客、そして優秀な学生の流入による物価高、地価の高騰、そして大学進学の困難化がある。特に、住宅価格の高騰はひどく、香港島のマンション価格は平米あたり平均252万円にまで至っており深刻であるが、この抜本的な解決に香港財界が反対してきたことが重要である。香港独占資本は不動産・金融資本としての特徴を有し、その結果、政府による公共住宅の供給への妨害者として機能してきた。若者たちの真の敵は彼らである。
以上である。

ただ、この原稿は9月に行なった2回目の現地調査までの情報に基づくもので、その後の変化や私自身の認識の発展は反映されていない。そのため、以下の補足を行なっておきたい。

区議選結果が示したのは「世論の分裂」

その最初の補足は、11月の区議選の結果についてのコメントである。小選挙区制が幸いした「民主派」の圧勝から日本人の多くが誤解してしまっているのは、他方で「親中派」（私は今回に関する限り「反暴力派」と表現するのが正しいと考えている）もその支持基盤を拡大しているという事実である。次の表を確かめられたいが、「民主派」が得票数を前回から１００万票増やした一方で、「親中派」も50万票増やしているということである。

表　前回および今回の香港区議選の投票結果（単位千人）

	前回2015年選挙		今回2019年選挙	
	親中派	「民主派」	親中派	「民主派」
有権者登録数	312万人		413万人	
投票者総数	146.7万人		294万人	
投票率	47%		71.2%	
投票率 得票数	54.6% 78.8万票	40.2% 58.1万票	43% 127万票	57% 160万票
獲得議席数	65.9% 298議席	27.9% 126議席	14% 59議席	86% 388議席

【注1】香港区議会選挙は、小選挙区制
【注2】香港区議会議員定数は479議席。その内452議席が市民による直接選挙で選ばれる
【注3】「親中派」と「民主派」で合計が合わない分は、どちらにも分類されない「独自派」である。

香港の選挙は投票所の数が少ないため、有権者の多くは長い行列に並んで初めて投票できている。ということは、余程の政治意識がないと投票できないということで、これがために前回の投票率は47％にとどまっていた。が、今回は投票率が71％に跳ね上がるという関心の深さがあった。そして、そこで今回新たにその強い関心を示した人口が「民主派」側に100万人と、「親中派」側に50万人だったということになる。「民主派」がほぼ倍の「新規獲得」を得ているが、「親中派」側に新たに50万人が加わったという事実も重要である。議席獲得数はともかく、足元の世論に関する限り「世論の分裂」というのが実態に近い事がわかる。

「警察の暴力が過激派の暴力を招いた」??

したがって、この双方がなぜ支持基盤を拡大したのかが問われなければならないが、「親中派」は焦点としたのは「反暴力」だったので、やはり「過激派」の暴力をどう見るかが重要となる。そして、その点で、私が現地で正直感じたことは警察の暴力で過激派の暴力を正当化できないということである。

というのはこういうことである。「非暴力原則」から見た場合、一切の過激派の暴力が許されないのは当然であるが、それでも催涙弾を水平に発射する警官への対峙が暴力的になるという理屈はあろう。が、それでもって以下の写真にあるような「親中派」ないし中国企業への破壊行為は許されないだろう、ということである。私が7月や9月の調査で見たのは、地下鉄や石畳、立法会議事堂の破壊にとどまっていたが、11月24日の調査では町中の中国系店舗がことごとく(!)破壊されているのを見て、警察の対応をもって自己の暴力を正当化する彼らの論理を私は疑うようになった。特に「親中派」と彼らが目するレストランやカフェを破壊するということは、暴力でもって「民主派支持」を強制するということとなるので、これは一種のテロリズムである。「民主主義」を主張する集団がやってはならないことだと私は考える。

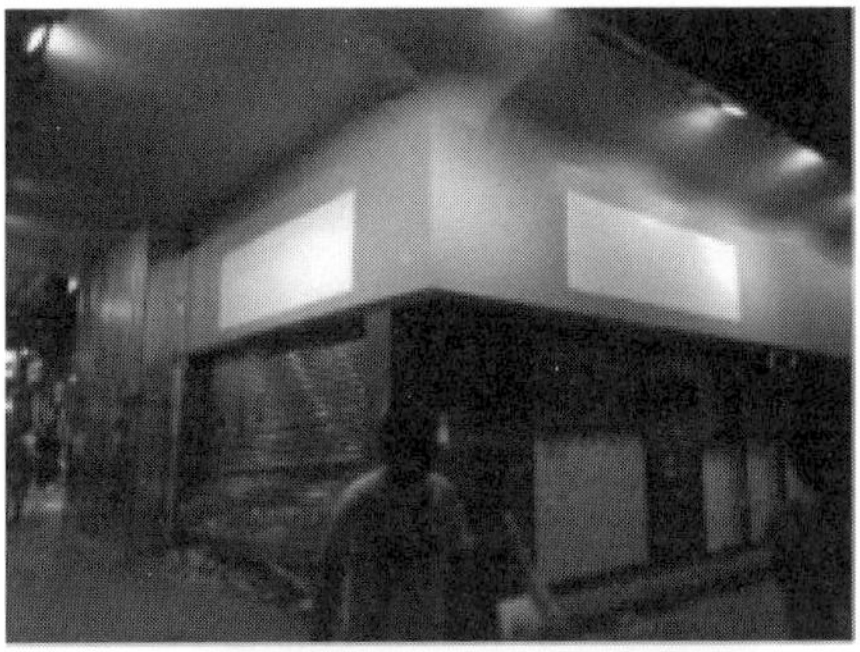

「平和的デモと暴力デモとは異なる」??

しかし、こうは言っても、日本人の多くは「そうした暴力分子と一般の民主派は違う」と考えているものと思われる。そして、実際、今回の区議選で立候補した「民主派」の候補者たちは「暴徒」ではないだろう。実際、私もまた、「両者の違い」が重要だと考えてきたというのが事実である。が、今回、破壊された多くの店舗を見て、この考えも少なくとも半分は間違っているということに気が付いた。これらの店舗はまさにその「平和的デモ」の最中に破壊されていることが分かったからである。

このことを知るには、8月の「平和的デモ」に参加した長岡義博『Newsweek日本版』編集長の次のようなレポートが役に立つ。すなわち、

「彼らと一緒に歩きながら傍らを見ると、デモ隊のトレードマークである黒シャツを着た屈強な若者を、ほかのデモ参加者がたくさんの雨傘で覆っている。何かを見られたくないようだ。傘の間に首を突っ込むと、男たちは手慣れた様子でボルトを回し、道路の鉄柵を次々と取り外して運んでいた。……公共物の鉄柵を勝手に外してバリケードを設置する行為は、世界のどの国でも違法だろう」（『Newsweek 日本版』２０１９年8月27日付、26－27頁）

そうして破壊された鉄柵は私の撮った上の写真で確認されたい。一番上の手すりが取り去られているのを確認できる。そしてまた、もっと重要なのは、こうした大規模デモの最中に上記のような店舗の破壊がなされていたということである。これらの破壊には警察が介入できないような状況の創出が不可欠であり、それを「平和的」な大規模デモが担っている。「平和的デモ」の参加者すべてがこうした暴力行為をしているわけではないが、この「平和的デモ」があって初めて破壊行為が可能となっているのである。

上記レポートの時には鉄柵の取り外し行為が隠されていたようであるが、店舗の破壊となるとそうはならない。ので、8月頃とは違って、区議選の11月頃には「平和的デモ」参加者もそのことを知っていたことになる。よく「暴力のレベルが上がっている」と報道されるが、その具体的な中身のひとつである。

真の敵は香港財界

ただし、私が『季論21』の論文で最も述べたかったことは、香港の若者たちの真の敵は「中国」ではなく、「香港財界」であるということであった。本節の最初で⑤とした論点であり、この点では「民主派」側の問題ばかりでなく、中国政府側や香港政府側にも弱点があったと言わざるを得ない。「民主派」も中国政府も香港政府もが、「親中」か「反中」かだけを基準に判断を行ない、よって真の対抗関係を見失っているのではないかという問題である。

実際、「民主派」には欧米の影響が強いのでそうなっているのであろうが、中国政府側も中国との結びつきを利益とする財界側をどうしても支持してしまう。これは中国の対台湾政策にも見られる傾向であって、結果として庶民の利益が疎かとされることとなる。毛沢東が去り、外交が「脱イデオロギー」となった結果とも言える。この状況の下、香港政府側も普通の諸国と同様、支配階級たる財界に敵対できない弱点を持つに至っている。

ただし、実のところ、香港問題がここまで「反中的」となると中国政府側もその問題に気づきつつあるようである。ジャーナリストの立花隆は自身のブログ「世界ビジネス見聞録」の２０１９年10月３日で「香港の財閥地主を新たな敵に仕立てる中国政府の狙い」という記事を書き、そうした中国政府の対応の変化を論じている。彼自身は私とはまったく逆の立場であるが、ともかく中国政府がそのような問題に気づき始めているということが重要である。

また、South-China Morning Post 紙が報じるところによると、新しく国務院香港駐在連絡事務所主任となった駱恵寧は今年1月9日にキャリー・ラム行政長官と会見し、今回の混乱を収めるだけでなく、市民の生活改善が課題であるとはっきりと通告している。

本節冒頭の要約⑤で述べたとおり、香港の若者たちは、大量の大陸人と大陸資本が押し寄せることによって大きな被害を受けている。これは、香港の場合「グローバリゼーション」の大波が巨大化する中国経済の大波として押し寄せていることを意味し、この避けがたい「歴史法則」の進行に伴う「コスト」が若者たちに一方的に負担させられているという問題である。そして、そのコストを支配階級が一切負担しようとしないならば、本稿第2節の末尾で述べたように、彼らがノーを突き付けることは当然のことである。この構図を香港政府と中国政府がちゃんと理解しているのかどうか、が問われている。

レーニンは「帝国主義戦争を内乱に転化せよ」というスローガンで諸国内に存在する支配階級に闘うことこそが真に求められている事だと説いた。こうした真に階級的な社会の理解が求められている。

Ⅳ

資本主義・社会主義・大国主義

――今日の中国の諸問題によせて

聴濤　弘

昨年12月に京都でおこなわれたシンポジウム「中国は社会主義か⁉」には３００名以上の方々が参加され主催者も驚くほどの成功をおさめた。日中友好協会関西府県連と諸支部の後援があったからであり、まずは関係者に感謝の気持を表明したい。

私はシンポではコーディネーターを努めたので発言は控えめにしたが、本稿では私の中国論を書くことにする。私は中国問題の研究家ではなくソ連問題・社会主義論一般にたずさわってきたが、シンポから多くのことを学んだのでその上に立って書きたいと思う。

中国が「改革開放」路線を敷いてから目覚しい経済発展を遂げ、国民生活は大きく向上した。アヘンに蝕まれ、日本の侵略と侮辱をうけ、中国革命成功後も「大躍進」政策と「文化大革命」の誤りによって「民族的悲劇」を受けてきた中国の民衆が、「改革開放」の40年間に享受したこの成果は中国の誇りであろうし、日中両国の友好を願うわれわれにとっても歓びである。東洋の「眠れる獅子」は今日の世界の主要ファクターとなった。

しかし、中国が「社会主義」を名乗っているのであれば、真剣な検討を必要とする多くの問題をもっている。本稿の主題は基本的にシンポと同様である。まず現在の中国を社会構成体としてどう規定するかから始めることにする。

一、市場経済化の新段階に入った中国

習近平政権はいまや中国は「新常態」に入ったと宣言した。２０１０年に中国がＧＤＰで日本を越え世界第2位の経済大国になってから、これまでの経済の外延的・量的発展から生産性向上による発展・質的発展へ転換し、中程度の成長をめざしながら、あと30年で全面的に先進国の上位レベルに近づかなければならない段階に入ったというもの

である。これを「改革開放」の市場経済化路線からみると「市場経済化の第2段階」に入ったといわれている（第3段階という説もある）。具体的にはどういうことなのであろうか。

汚職腐敗の一掃、貧困層の救済、格差問題の解決、環境破壊の阻止等々、多くの課題がある。汚職腐敗に大鉈を振るった習政権は国民から歓迎されている。その他の面でもさまざまな措置がとられている。しかし経済の質的発展によって経済成長をはかるためには大きな問題として構造的問題がある。それは都市労働者と農民工（農村からの出稼ぎ労働者）の問題であり、土地問題である。農民工は現在でも2億8000万人いる。さらに依然として効率の悪い国有企業を今後どうするかという問題がある。

これらの構造的問題を市場経済化路線からいうと、生産物の市場による交換すなわち流通過程の市場経済化は完了し、いまや生産要素（労働、土地、生産手段）の市場経済化段階に入ったということである。労働の市場化といえば労働力（人間）の商品化である。まさに正真正銘の資本主義化である。土地の市場化といえば中国では土地は国有地と農民の集団所有地からなっており、農民には使用権が与えられているのでそれを自由に売買できるようにすることである。生産手段の市場化といえば生産手段の「民営化」あるいは私有化である。「市場経済化の第2段階」とは実に大問題である。本当に中国は生産要素の市場経済化にまで進むのだろうか。

日本の経済界とそれをバックとする経済評論家はもちろん市場化推進を望んでいる。理由はいうまでもなく、いままで以上に中国に進出することができるからである。問題はマルクス主義者がどう考えるかである。中国問題を専門にするマルクス主義者のなかには中国の構造改革の遅れを批判する意見もある。それはもちろん資本主義への回帰を「必然」とみるものではない。しかし、市場化によって経済を発展させてきた中国問題の難しさはここにある。突っ込んで問題をみてみよう。

（1）連動する労働の市場化と土地の市場化

現在の中国の労働力市場化と土地市場化とは連動した問題になっている。中国経済がこれまで大きく発展した原動力は、安価な労働力である農民の都市への大量流入と外資導入とが結びついたことにある。とくに中国が２００１年にＷＴＯに加盟して以来、この結びつきは強まり、中国は「世界の工場」になった。

しかし市場経済化の新段階に入ったいまの中国には、かつてのように農村の余剰労働力が豊富に存在する時代は終わり、余剰労働力の枯渇状態が起こっている。また経済発展とともに都市の労働者の賃金も上昇した。これは市場経済化路線の成果であるが、他方では経済成長の低下に繋がっている。安価な労働力がなくなってきているからである。中程度の経済成長を持続させるためには構造問題の解決がどうしても必要である。ここで問題になるのが中国の「戸籍制度」である。

都市労働者の賃金上昇は、農民にとって都市は依然として魅力的である。農民の都市流入の可能性は依然として存在する。しかし都市と農村の戸籍を区別する「戸籍制度」が依然として存在し、それが大きな障害になっている。

毛沢東時代の１９５８年に人民公社をつくり農業集団化がおこなわれた際に、農民が都市へ逃げるのを防ぐために人口移動の管理や、農民工を都市住民と権利の面で差別する戸籍条例が制定された。農民工は都市住民が享受する教育、医療、住居、社会福利等をうけることができなかった。「改革開放」後も規制がいくらか緩和されたものの基本はそのまま残り、同等の権利はいまだに保障されていない。２０１４年に「戸籍制度改革をさらに促進するための意見書」が発表され、都市と農村の戸籍区分を廃止する方向性が正式にだされた。これによると中小都市では農民工がそこに定住していれば、その都市住民と同等の権利がえられるようになった。しかし５００万人以上の大都市ではそれは許されず、個々人の技能、学歴、納税義務の遂行状況などの高いハードルが設けられている。

同時に「戸籍制度」の重大点は、農民工が都市住民の資格をとれば、故郷にある土地の使用権を放棄しなければならないことである。農民は完全な賃労働者になる。都市のほうが賃金が高いとしても、農民の最後の資産である土地を失ってまで都市住民になりたいとは思わないという農民が圧倒的に多いとのことである。農業を続けるほうが良い生活が送れるからという理由ではない。農民は土地を売り、しかるべき富を得て離農し、都市で働くのがもっともいいと考えている。ここから土地の市場化という問題がでてくる。

これまで中国では地方政府が農民の土地使用権を強制的に収用し、それを住宅建設会社や産業・商業資本あるいは外国資本に売り地方財政を賄っていた。収用された土地の収益分配は地方政府が60～70％、農村の集団組織が25～30％、農民は5～10％しか受取れなかった。これは農民にとって非常な苦痛であった。資本主義的原始蓄積そのものである（ただ農民には課税されない措置がとられていることは指摘しておく）。

そこで昨年の全人代で村民会議の3分の2の同意を必要とするという条件はついているものの、農民の集団所有地を「市場開放」し、「都市農村総合計画」にもとづき「工業・商業の経営体および個人に対する売却、レンタル使用を認める」とする「新土地管理法」が制定された。これにより資本が土地使用権を農民から直接買うことができるようになり、今年から実施することになっている。村民会議の同意が必要と定められているのでこのような解釈は誤りであるとする意見もあるが、土地市場化に向かっていることは否めない。

これを中国の「近代化」として評価することもできるし、一層の資本主義化とみることもできる。従来の社会主義論からすれば〝農業の集団化こそ〟ということになるが中国がまた過去の轍をふむとは考えられない。マルクス理論によれば農民の納得を得てということになるが、理論と現実が乖離することは少なくない。中国当局の「都市農村総合計画」が具体的にどういうものになっていくのか注目していきたい。

（2）生産手段の市場化とは何を意味するか

生産手段の市場化も経済成長の持続をめざすことから発想されている。「改革開放」路線が始まってから、大量の労働者を抱え込んだ効率性のない国有企業の大改革がおこなわれ、大量の労働者が解雇された。小型国有企業は民間に払い下げられた。その結果失業者は1990年代に入って急激に増え、2002年に頂点に達し失業率は11％を越えた。一方、外資を含む民間企業は発展した。中国ではこれを「国退民進」というそうである。国有企業が「退場」し民間企業が「前進」するという意味である。しかしこの当時、重要産業は国家が掌握し「管制高地」は守られているので社会主義の「解体」ではないということが強調された。むしろ市場経済導入によって経済に活力がつき「社会主義市場経済」の成功の証しだとされた。中国問題の専門家ではない私はこれをもって中国の国有企業改革は一応終わったという認識をもった。

しかしそうではなかった。中国の国有企業の実態は実に複雑である。小論でそれを述べるのは不可能であるが、国有企業は依然として効率が悪く国家支援を必要としている企業が多数ある。その克服のために外部からの資本導入が必要であるとして国有企業の「株式会社化」が提唱され、いま多くの国有企業に民間資本が程度の差はさまざまであるが入っている。またこれによって国有企業も社会的評価をうけ淘汰もされる。

こうしたなかで2015年に「国有企業改革の深化についての指導意見」が発表された。それによれば業績不良国有企業は整理する､国有企業の大型合併や民間企業買収による国有企業の巨大化をすすめる（多国籍企業化の急増も）、同時に国有企業に民間資本をさらに導入し「混合所有制」にすることが指導方針とされた。

これとは別にもう一方では「ハイテク立国」を目指し国家が民間のＩＴ産業であるファーウエイ、テンセント、百度、アリババなど民間大企業の研究・開発費を支援している。こうしていま中国では国有企業も民間企業もともに前進する「国進民進」といわれる状況になっている。日本の経済界は国有企業の「退場」を期待している。いずれにせよ生産手段の市場化とは少なくとも公有化の逆をいくわけであり、中国がこれを実際にどこまですすめるのかも具体的に注視していきたい。

（3）「限りなく資本主義へ」

「市場経済化の第2段階」とは以上のようなものであり、具体的には不確定要素が多いが、私としては、はっきりいえることがある。中国が次の2つの指導理念を続けるかぎり「民進」に収斂していかざるをえないことである。

第1は習近平政権下の2013年に資源配分において「市場の役割が決定的」であるとしたことである。「改革開放」後も計画か市場か、どちらを「基礎」としどちらを「補完」とするかで指導部内でも論争があった。しかし習政権下で市場が「決定的」とされるに至った。第2は江沢民政権のもとで「3つの代表」思想が決定され、生産力の発展がすべてであり生産関係は「形式」にすぎないとしたことでる。これは現在でも引継がれている。

第1の主張は意識性（計画性）を原理とする社会主義の理念とは両立せず、第2の主張は生産関係の事実上の無視である。この2つをあわせれば2016年にすでに拙著『マルクスならいまの世界をどう論じるか』（かもがわ出版）で指摘したように「資本主義にならざるをえない」（「民進」収斂）。私の中国の現状規定は経済体制としては「社会主義をめざす国」ではなく「限りなく資本主義へ」である。このことを以下、理論的に検討したい。

二、史的唯物論からみた中国

マルクスの史的唯物論に従えば人間社会は資本主義社会→過渡期→社会主義・共産主義社会へと進む。この公式にしたがえば中国は「過渡期」にある。「社会主義」か「資本主義」かといえば、その中間的社会である。

ところでその「過渡期」というのは一直線に社会主義へ前進するのではなく、実際には前進もあり後退もあり脱落・崩壊もあることを「20世紀社会主義」の歴史の事実が示した。私の「限りなく資本主義へ」という中国の現状規定はこのような基準にもとづくものである。中国は「過渡期」の後退局面の深化にあるといえる。マルクスが理論として打ち立てた「過渡期」は、プロレタリア執権のもとで社会主義へ直線的に進むものであった。これは当然である。失敗も含むあらゆる紆余曲折を事前に理論化しなければならないのなら、おそらく新しい理論は生まれないであろう。

(1) 市場経済と資本主義について

次の理論上の問題は市場経済についてである。市場経済というのは生産物の交換すなわち流通過程のことである。それでは生産関係とは無縁なものなのか。もし無縁なら市場が「決定的」としてもなんら問題はないことになる。

しかし市場経済は、昨年のシンポでの「質問とコメント」（本書巻末）で述べているように古代の共同体から今日まで存在してきたものであり，その意味では「市場経済イコール資本主義」ではないが、資本主義的生産関係のもとで市場経済は全面的に開花し、労働者は商品として売買され労働市場が成立する。市場経済が生産関係と無縁とはとうていいえない。生産関係とは生産の過程でとりむすぶ人間と人間の社会的関係である。さらに市場経済は「自由競争」と生産の「無政府性」をともなうが、それは資本の本質である。

私のこの見解について次のような批判がある。市場経済はあくまでも流通過程の問題であり、市場経済それ自体が「資本主義の温床」だとするのは誤りである。市場経済は階級社会、私的所有の支配的な社会では資本主義（資本―賃労働関係）や無政府的生産となるであろうが、中国はそういう社会ではない。市場経済がマクロ・ミクロの次元で「制御・規制」されているので、市場経済であっても中国の現実が示しているように「共同富裕社会」へと発展できる。市場経済を「生産様式（生産関係、生産力）」を離れて考察することはできない。

中国の現状認識を別とすれば（中国はひどい格差社会である）、市場経済が生産関係と無縁なものではないという認識は共通している。また市場経済であっても「制御・規制」が必要という点でも違いはない。違いは市場経済が必然的に資本主義を生みだすかどうかにある。

このことを検討する場合、「批判」は「宇野経済学」にも言及していたので、まず宇野弘蔵氏の議論をみておく必要がある。周知のように宇野の経済原論は流通論から始め、生産論はその次に展開している。理由は市場経済・商品経済は生産過程自身から発生するのではなく、いわば生産過程と生産過程の間に発生した生産物交換から生まれるからである。したがって市場経済・商品交換は当該社会の生産関係にとっては外在的なものであるとする。しかし重要な点は、この交換関係・市場経済は生産過程に影響を与え浸透していき、ついにイギリスでは「生産過程をも商品形態」化し、「ここに初めて資本主義社会が形成された」としていることである（『経済原論』）。市場経済は資本主義に行き着いている。

マルクスは『資本論』で商品の分析から始め、資本の生産過程を経済学の出発点とした。そのため「宇野経済学」はマルクスと相容れないものとされた。しかしマルクスも生産過程から始める前に一回転する大きな思索を『資本論』そのもののなかでおこなっている。マルクスは商品交換は古代の共同体が他の共同体またはその成員と接触する点で始まるとしている（宇野はこのことを指摘しマルクスに学んでいる）。こうして共同体でつくった物が対外的に商品になれば、それは「反作用的」に共同体内部でも商品になる。交換の不断の繰り返しは交換を1つの「社会的過程」にし、諸物の一部は初めから交換のために生産される商品となる。この瞬間から商品は交換のための交換価値と物の有用性としての使用価値に分離するとしている（『資本論』）。マルクスにはこうした思索があったからこそ『資本論』の冒頭を商品の分析にあてることができたのであった。そしてそこから貨幣・貨幣の資本への転化・絶対的剰余価値の生産・資本主義（資本―賃労働関係）の成立へと論理的に進んでいった。

このように経済学の構成に違いがあるが（この違いは重大であるが）、宇野もマルクスも市場経済・商品交換が資本主義に導くことを主張している点では同じである。したがって市場経済が「決定的」とすれば資本主義の「温床」を拡大し、そこに到達することになるのは当然であり、明らかに社会主義思想とは両立しない。

なお論点をこれ以上拡大したくないが、マルクスが経済学として生産を第1に置いたのは、人間が生きるためには自然に働きかけ有用な物質を生産し「生活」しなければならないからである（『ドイツ・イデオロギー』）。『資本論』でも生産労働は人間存立の「永遠の自然条件」であると述べている。これは真理であろう。

（2）市場経済と社会主義について

ところで「宇野経済学」は流通過程を生産過程の外に置いたため、「部分的に」は社会主義でも市場経済は存在すると主張する（前掲書）。この問題はソ連自身も含め崩壊以前からいわれていたものである。マルクスは生産手段を共同所有にした協同組合的社会では生産者は生産物を交換しないとした。交換がなくなるから市場経済もなくなるわけである（私の経験ではこのマルクスの言明を知らない人が結構多いので巻末資料で引用した）。ここからマルクスとは違う「市場社会主義」という概念が生まれた（私への批判は無論「宇野理論」によるのではなく、「市場社会主義」

論にもとづいたものである）。

「市場社会主義」論あるいは「社会主義的市場経済」論は、マルクスの「社会主義イコール非市場経済」論は誤りであったとする。マルクスは市場経済は私的所有と分業によって成立するとしたが、社会主義でも企業は「分立的・自立的単位」として機能している。したがってその間を結ぶには市場が不可欠であるとする。私はこのことをソ連時代から聞くべき重要な問題として考えてきた。ソ連・東欧諸国が市場を排除し、上意下達の中央集権的計画経済体制をつくったためついに崩壊したことをみれば首肯できる。

また交換という行為がなくなることが、われわれが追求しえる歴史的射程でありうるのかという問題がある。マルクスは未来社会では個々人がみな利己心を捨て「意識して労働」し、個人的労働が「直接に社会化された労働」になるので、物質的生産過程を「人間の意識的計画的な制御」のもとにおくことができると考えた。これは人間自身を「つくりかえる」（マルクス『フランスにおける内乱』）未来社会の高次の段階（共産主義社会）を想定して提起した、いわば人類史的課題であると私は考えている。資本主義後にすぐ生まれる社会で実現できるとは思わない。マルクス自身も低い段階（社会主義）では曖昧さを残している（『ゴータ綱領批判』）。私は市場経済は需給関係を自動的に調整したり効率性を保障するなど積極的機能をもつものであり、市場経済を社会主義の計画性（意識性）のフィードバック（自動修正装置）として使うべきであると考える（詳細は拙著『200歳のマルクスならどう新しく共産主義を論じるか』参照）。いずれにしろ「市場社会主義」論は実践的には重要な提起であり、社会主義段階のマルクス理論の創造的発展という見地から大いに討論をかさね共同で追求していきたい問題だと思う。ただ誤解のないよう繰り返しておけば市場が「決定的」という立場はこれとは次元の違う問題である。

（3）生産関係は「飾りもの」ではない

次に生産関係は「形式」にすぎないとする主張についてである。この主張は「生産力と生産関係」の問題を次のように説明する。「前者は、内容であり、後者は形式であって……現在においては先進的な生産力を発展させることができるのは、すべて先進的な生産関係と見なされるべきであり、公有制の程度が高ければ高いほど先進的な生産関係であると見なすという、例の伝統的な『左』の概念は打破されるべきである」（高放、李景治、蒲国良著『中国を知るための経典』）。

これが毛沢東時代からの脱却をめざすものであることは分かる。毛沢東は生産力の発展が未熟でありながらまったく主観的に共産主義の実現を構想し（「大躍進」、「人民公社」）、それに全人民を従わせようとして悲劇的大失敗をおかした。「公有制」の程度が高すぎたといった問題ではなく、史的唯物論を無視することによっておこした大きな誤りである。

逆に生産力を発展させる生産関係が「先進的」な生産関係であるとすれば、それは市場原理にもとづき激烈な競争をする資本主義こそもっとも急速に生産力を発展させる生産関係である。こうして次の新社会（社会主義）の生産力的基盤を準備するのが、「資本主義的生産様式の歴史的任務なのである」（『資本論』）。史的唯物論のいう生産関係とは「形式」で、どうでもいい「飾りもの」ではない。私はこのことと、先の「市場決定的」論とを合わせると中国は経済体制としては「限りなく資本主義へ」とならざるをえないと考えている。

なお付言しておきたいのは「20世紀社会主義」の失敗は、生産手段の共有制そのものにあったというより、公有制のもとで（国有化であれ集団的所有であれ）どう労働者が労働のモチベーションをもつかという「労働の組織化」ができなかったところにある、ということである。それはいまの中国を含めていまだ発見されていない。「アソシエーション論」や「熟議型社会主義」といった積極的アイデアーが提起されているが具体的姿はまだまだみえてこない。これもマルクスの創造的発展が求められる点である。

三、「一党支配」体制からみた中国

経済問題はこれでおき、今日の中国をみる場合、中国共産党「一党支配」体制の問題がある。中国には他にも政党はあるが中国共産党の指導のもとにあり「一党支配」にかわりはない。中国当局や日本の多くの批評家はしばしば、いまの中国はソ連の失敗をよく研究しているので着実な前進をとげているという。市場経済の導入がその際あげられるが、政治改革の面ではなにを学んだのであろうか。

『中国を知るための経典』は、ソ連は政治体制改革を「首位」におき「人道的、民主的社会主義」路線を優先させたために崩壊したとしている。そして具体的には以下の諸措置導入が崩壊原因であるとしている。「三権分立」の導入、「司法権の独立」、「情報公開制」、憲法にあるソ連共産党の「指導的」地位規定の削除、「多党制の導入」、「議会制の導入」、「自由選挙」、「大統領制の導入」である。これによってこれまで蓄積されていた矛盾が噴出し崩壊にいたったとしている。これが学ぶべき「痛ましい教訓」である。政治面で学んだことは、自由と民主主義という社会主義の原則に反するソ連体制の諸側面をしかるべく維持しなければならないということである。

『経典』は後進国である中国で社会主義を実現するには「特殊な法則」があり、「封建主義の克服、自然経済と半自然経済の改造、君主専制制度の影響（個人集権制、職務終身制、指定継承性、官僚等級制、官僚特権制など）」の除去が必要であり、そのうえ「資本主義文明の成果」を取り入れなければならず、そのためには「資本主義の私的所有をいそいで廃止してはならない」と述べ、長期の期間を経ざるをえないとしている。これはもっともなことと思う。

そこで必要なのは「共産党の役割」の決定的意義であると強調している。ところが党改革問題について特別なことはなにも述べていない。党の重大な誤りは「心のなかにしっかりとどめ、改革に目をむけ、人々が古傷を暴くのに熱中するようにみちびいてはならない」、「共産党の執政の合法性」を絶対に否定してはならないとしているだけである。いま中国では共産党の全線にわたる強化が実施されている。[1]

(1) 全線における共産党の強化

市場経済化の第2段階に入った中国では一層の市場化と同時に全線にわたる党の役割の強化がおこなわれている。2018年に中国共産党中央が発表した「党・国家機構改革プラン」によると党中央に権力を集中するための方策を含め60項目にわたる「党指導力の強化」策がかかげられている。腐敗汚職が蔓延したなかで党の「反腐敗活動」の強化が挙げられていることは当然なことであるが、その他で特に注目したものの一部を挙げると、党中央宣伝部が「報道・出版を統一的に管理し」(11項)、「映画を管理し」(12項)、「テレビ・ラジオ」は「党の喉舌(代弁者)」でなければならないとしていることである(35項)。また「法治国家」を目指すとしながら、「司法」までも「必ず党の指導下」におかなければならないとし、「司法」における「党の集中的統一的指導を強化」しなければならないとしてい

1　私はこの『経典』を批判的に紹介しているが、それは部分的なことでありソ連崩壊後にマルクスの理論を検討し、「20世紀社会主義」をほぼ各国ごとに総括し、中国の今後の展望を探ろうとする、中国人民大学教授たちによる力作である。

ることである（32項）。

中国共産党には中央政治局常務委員会から地方機関にいたるまで「政法委員会」が設けられ、党が司法に介入し指導的役割を果たすことになっている。実は党の司法介入体制は１９３０年代にスターリンが「非常裁判」、「非常審理」制度として導入したものであり、これを使ってあの大量弾圧がおこなわれた。共産党は国家権力機関ではない。共産党が出来る最高の措置は党規約を犯した党員を除名することだけである。政権党になったら司法権を持つなどということは法の世界ではあってはならないことである。支配政党による「裁判統制」を「中国の特色ある社会主義」とすることはできない。「言論・出版の自由」、「司法の独立」は、洋の東西を問わず人間にとって普遍的価値であり人権保障の基本である。さまざまな勢力の蠢動があったとはいえ、自由と民主主義を求めた香港での闘争の根本はここにある。

（2）ボナパルチズム的現象

習近平政権はこのように言論統制強化と全線での党支配強化をすすめる一方で、マルクス主義の重要性をかつての政権以上に強調している。２０１８年のマルクス生誕２００周年にあたっては北京で大集会が開かれた。そこで習主席は「中華民族が『豊かになる』から『強くなる』への偉大な飛躍を迎えているのは」、中国が「マルクス主義を選択したからである」と述べている。「言論統制の強化」と「マルクス主義の強調」は一種の矛盾である。

いま中国には明確に資本家階級が形成されている。労働者階級との矛盾は拡大せざるをえない。現に２０００年の労働争議は10万件であったが、２００８年には６０万件と6倍に増加し、２０１３年も50万件である。これは労働者が〝主人公〟意識から「階級意識の形成」に変化したことによるものだといわれている。習政権は経済発展を犠牲にしてまで資本家を抑えることはできず、そのため労働者・農民には統制を強化し、同時にまた建国の理念であるマルクス主義を放棄することは政権崩壊にも繋がるためマルクスを語らざるをえないのであろう。矛盾はこの現われである。

「ブルジョア階級が形成・発展し、一方で労働者階級の反抗が強まる「均衡」のなかで成立し、いずれ二者択一を迫られるのが、ボナパルチズムである。中国ではいまこれに似た現象が客観的には生まれているのではなかろうか。中国では資本家も共産党員になれる。

習近平主席は率直に2016年に次のように述べている。「人民大衆が強烈に反発している党内の大問題(形式主義、官僚主義、享楽主義、贅沢三昧のこと)が解決しなければ、わが党は遅かれ早かれ執政資格を失い、歴史によって淘汰されるのは避けがたい」(「日中友好新聞」2019年10月15日号)。また昨年10月に開かれた中国共産党第19回大会4中総で習近平主席は「國際情勢が複雑に目まぐるしく変化しており」、内政においても外交においても中国が「直面するリスク・挑戦の厳しさはかつてないものである」とし、国家の「統治体系と統治能力」を「より一層際立った」ものにしなければならないと強調している。そのためには「党の長期執政と国家の長期安定の確保」が必須であると述べている。習政権が大きな岐路にたっているのは間違いない。冷静に客観的に中国をみていかなければならない。

四、核兵器問題と中国の大国主義的対外路線

最後に中国の対外路線についてみてみたい。中国がGDPで日本を追い越した2010年前後から、中国の対外路線に大きな変化が生まれた。2002年には南シナ海問題でASEANと実効支配を拡張することをお互いに慎む

「行動宣言」を発表したり、2005年には資源共同開発の共同調査（ベトナム、フィリピン）に合意したりしていた。しかしその後は南シナ海のサンゴ礁の埋め立てと軍事基地化をすすめるようになり、東シナ海でも尖閣列島問題を巡って緊張状態が起こるようになった。2015年に発表された『国防白書』は「中華民族の偉大な復興の夢」とは「強国の夢であり、軍隊にとっては強軍の夢である。国を強くするには、軍隊を強くしなければならない」と述べた。私は2016年に次のように書いた。

「『中華民族の偉大な復興の夢の実現』路線の根底には中国の経済的（発展）の土台を基礎として、中国がかつて日本、欧米諸国から受けてきた半植民地支配を打ち破ったことへの中国人民がもつ正当な民族的誇りがあることは確かである。無責任に『中国脅威論』を振りまくのは誤りであり、安倍政権の『歴史修正主義』に加担することになる』。しかし近年の対外路線と、「太平洋には米中両大国を受け入れる十分な空間がある」といった一連の幹部の発言は、「中国が伝統的にもつ『大国主義』意識を強烈に吐露したものである」（前掲書『マルクスならいまの世界をどう論じるか』）

翌2017年には国連総会で採択された核兵器禁止条約にさえ反対するようになった。いま中国は核兵器の強化を含む軍拡路線を推進している。ここで南シナ海、東シナ海問題その他の諸問題を論ずる余裕はないので核兵器問題についてみておきたい。

（1）核兵器廃絶から核兵器禁止条約反対へ

この問題を検討する前提として「核不拡散条約」（NPT）について一言述べておく必要がある。この条約はソ連時代の1968年に米ソが主導してつくったものである。この時点で核兵器を保有するアメリカ、ソ連（現ロシア）、中国、イギリス、フランスの5か国はそれぞれの核兵器保持を認めあい、これ以上の核兵器保有国の出現は許さないという条約である。核拡散を防止するという側面と5か国の核独占体制をつくるという二面性をもった条約である。ただ第6条で核保有5か国は核軍縮（廃絶）に努力する必要があると規定されている。これ以外に核軍縮を目指す國際条約がないため、日本と世界の核兵器廃絶の運動は第6条を利用してNPT再検討会議が開かれるたびに5か国に核兵器廃絶の圧力をかけてきた。

問題はそこで中国がどういう態度をとったかである。1999年3月、ジュネーブで軍縮会議が開かれ、江沢民主席が出席したときには次のような演説をした。

核兵器廃絶の江沢民演説

江沢民主席は冷戦は終結したものの「過去50年以上、〝ダモクレスの剣〟（核の脅威）が人類のうえにのしかかっている」として核兵器廃絶を鮮明に打ちだした。

「冷戦はいまだなお心理的にだらだらと続き、覇権主義と力の政策が折にふれて自らの姿を現す」

「核兵器の拡散防止と核兵器全面・完全廃絶は、相互補完的である。核兵器拡散防止が効果的方法であり、その終結への必要な段階にある間でも、核兵器の完全廃絶は、われわれすべてが努力すべき目的である。NPTの無期限延長を中国が支持するのは、このような理解の文脈においてである」

「NPT無期延期は核兵器保有諸国に核兵器を永久に保有する特権を与えるものでは決してない。反対に核兵器保有諸国は誠意をもって核廃絶の義務を履行し、具体的行動によって核廃絶の最終的実現を促進しなければならない」

「核兵器を廃絶することと、核戦争の危険を根絶することは世界の人民の共通の願いである。中国政府と人民は責任をもって奮闘する」（http://www.china-un.org）

核兵器禁止条約反対の5か国共同声明

それから8年たった2017年に国連で核兵器禁止条約が成立したことは、日本と世界の市民運動と核兵器廃絶を求める多くの国々の闘いの歴史的勝利である。ところが中国は米ロ英仏とともにこの条約に反対した。信じられないような態度変更である。2018年10月、米中ロ英仏の5か国は共同声明を発表して反対の理由を次のように述べた。

「核兵器のない世界を達成する最善の道は國際的な安全保障環境を考慮に入れた漸進的なプロセスによるものであると確信している」

「核兵器禁止条約」は「NPTに相反し、NPTを掘り崩す危険がある。……それは一発の核兵器の廃絶すらもたらさない」

「われわれは、この条約を支持しないし、署名も批准もしない」

「核兵器禁止条約が、われわれ諸国にとって拘束力をもつものではなく、慣習的国際法の発展に貢献するとのいかなる主張も受け入れない」（同右）

「社会主義」と名乗る国がこのような理由で核兵器禁止条約に反対することは、いかなる意味でも社会主義の名に値しない。中国を「社会主義をめざす国」と規定することはもはやできない。この間になにが起こったのであろうか。

核保有5大国の「調整役」に

冷戦終結後もだらだらと「覇権主義と力の政策」が続けられる大国覇権主義的軍事・外交政策をとる国々と、自らも大国主義路線をすすめる中国が肩を並べて核の悪循環にのめり込んだためである。中国は2009年以来、核保有5か国の核戦略の「調整」に参加している。中国外交部（外務省）は昨年1月30日に北京で開かれた核保有5大国の会議について次のような公式文書を発表した（要旨）。

「2019年1月30日に北京で核保有の国連安保理常任理事国（P5）の公式会議が開かれた。張・外務次官補が会議の議長を務めた。中国、フランス、ロシア、イギリス、アメリカの5か国はNPTによって核保有国として規定されている国である。5か国は調整メカニズムをつくり、2009年以来、戦略と安全保障にかんする重要な諸問題について定期的に連絡をはかり、共同でNPTの再検討過程を進めてきた。5か国は2年ぶりに公式会議を開いた。『P5の調整を強化し、NPT体制を守る』ことを中心テーマにして各国代表は、核政策・核戦略、核軍縮、核不拡散その他の問題について突っ込んだ忌憚のないやり取りをおこなった。会議のあと張・外務次官補は中国を代表して、また核保有5か国の協力調整メカニズムの輪番制による現在の調整役として、会議議長の結語を述べた。すべての参加国は3つの重要な合意に達した。①5か国は國際の平和と安全にともに責任を負っている。②5か国は共同でNPT体制を守る。③5か国は対話と調整を維持するために引き続き核保有5か国の協力の場を利用する決意である」(同右)。

もともと核兵器を捨てる気のない国々と、どう「調整」したら核廃絶に至るのであろうか。いまや核戦略にもとづく軍拡競争は米中ロによって宇宙にまで拡大しているのが現実である。また市民運動レベルの面でも2009年以来、広島、長崎で開かれる日本原水協主催の原水爆禁止世界大会に中国代表は参加したりしなかったりという状態に変った。中国の大国主義によるこうした態度変更がどれほど重大なものか、過去の経験を振り返りながら核兵器と國際政治の関係をもう少し考えてみたい。

(2) 国際主義、民族主義、排外主義

「20世紀の社会主義諸国」と国際的な共産主義運動が分裂した最初の要因は中ソ対立であった。その中ソ対立関係

が破局にまで至ったのは核兵器をめぐる問題であった。

１９４９年10月に中華人民共和国が成立し、翌50年２月に毛沢東が訪ソし「中ソ友好同盟相互援助条約」が締結された。一方の側が「日本またこれと同盟している他の国」に侵略されたとき、双方は「あらゆる必要な措置をとるよう共同で努力する」ことを誓約した条約である。これは２つの「社会主義」大国の国際主義（インターナショナリズム）の表れであった。これは国際政治に大きな影響を与えた。日本では中ソが一体となって日本の脅威になるという世論形成がさかんにおこなわれた。そのとき徹底した反共主義者である吉田茂首相が「中ソはかならず分裂する」ので、それほど怖くはないといったのを中学生であった私はいまでも覚えている。

スターリンと毛沢東は「中ソ友好条約」を結びながらも、他方で中ソの権益を巡って鋭い対立が続いた。双方の民族主義（ナショナリズム）によるものである。スターリンが死去しフルシチョフが登場し、新たに中ソ友好が謳われたが長続きはしなかった。

１９５７年10月に秘密裏に「中ソ新軍事協定」が結ばれ、ソ連は中国に原爆のサンプルと技術資料を提供することが取り決められた。しかしそれは実行に移されなかった。毛沢東はフルシチョフを試すために１９５８年に「台湾統一」のためとして軍事行動（金門・馬祖攻撃）を起こした。フルシチョフは「米ソ協調」を求めており、アメリカが毛沢東の軍事行動に介入しソ連もアメリカとの対決を余儀なくされる事態をなんとしても回避したかった。フルシチョフは１９５９年６月に「中ソ新軍事協定」を一方的に破棄した。そうして同年９月にフルシチョフとアイゼンハワーの、初の米ソ首脳会談がキャンプ・デービットでおこなわれ「米ソ平和共存」が謳歌された（秘密協定の締結・ソ連側からの一方的破棄の事実は１９６３年から始まった中ソ公開論争の過程で双方から確認されている）。フルシチョフが中国への核兵器提供拒否をアメリカ訪問の「手土産」にしたことは明白である。キャンプ・デービット会談後、フルシチョフは中国の建国10周年記念式典に参加するということで訪中したが一片の共同声明もでず、ここで中ソ関係は破局に至った。毛沢東は「自力更生」を唱えた。

これにより「社会主義諸国」も分裂し、国際的な共産主義運動も分裂する重大な事態を引き起こした。国際政治における中ソの責任は重大である。中ソ双方もインターナショナリズムとナショナリズムを正確に結びつけることができなかった。ソ連も中国も（アメリカはいうまでもなく）核兵器の保有を国際政治の梃子に使った。社会主義国なら核兵器廃絶という課題をアメリカに突きつけ世界の世論を動員して、その実現をせまるべきであった。それは現実政治から浮いた「理想論」であり「第三者的」な「傍観者」のいうことであるという非難の声が聞こえないでもない。しかしそうであればどこにこの問題からの出口があるのだろうか。

レーニンにみる外交路線

共産党であっても政権党になった場合、「国益」ということを考えて外交を進めなければならない。その場合、現実というものを見なければならない。しかし同時に、現実をぶち破る斬新な外交路線を示し実行し現実を変えていく努力をかさねてこそ、政権についた共産党・社会主義政権の意義があるはずである。

レーニンは政権につくとすべての民族の民族自決権を実際に認め、ただちに帝政ロシアの支配下にあったポーランド、フィンランド、バルト三国の独立を認めた。アフガニスタンその他の国々から帝政ロシアが不当にとりあげていた領土を返還し、さらに秘密外交を排して帝政ロシアが西欧列強と秘密に結んでいた中東地域の分割協定を世界に暴露した。これは中国を含む世界の民族解放運動を大きく鼓舞した。さらにソヴィエト政権が初めて国際会議に出席できた1922年のジェノバ会議で当時の凶悪兵器であった毒ガス兵器禁止条約の締結を提起した。これらすべては旧来の帝国主義外交を一新する目をみはるような外交であり世界を驚かせ世界諸国民の支持と共感をえた。

これはインターナショナリズムとナショナリズムを正確に結びつけたものである。世界の諸国民から支持と共感をうけることがソヴィエト・ロシアを守る道であったからである（巻末資料参照のこと）。レーニンは大ロシア人の「民族的誇りの感情」と「祖国を愛する」強い気持（ナショナリズム）をもった人物であった（参照『大ロシア人の民族的誇りについて』）。インターナショナリズムは反ナショナリズムではない。スターリン主義を受け継いだフルシチョフにも、また毛沢東にもとどのつまりは「国益」最優先の「一国社会主義」的な強力なナショナリズム思想しかなく、インターナショナリズムと結びつけることができず、核軍拡競争の構造にのめり込んでしまい、逆に自滅（ソ連）にいたったといえる。

自主独立と核兵器廃絶

こうしたソ連・中国にたいし、自主独立の立場から日本の革新・民主勢力が批判を展開したのは当然のことであった。自主独立の立場とはソ連にも中国にも反対するといった単純な話しではない。世界平和の問題でいえば核兵器廃絶、全ての軍事同盟の解体等の諸課題について、また国内的にはそれぞれの国の変革の事業の自主性の尊重という根本問題について、ソ連、中国が誤った考えと行動（押し付け・組織的干渉）をとったからこそ、それに反対したのである。これが自主独立の立場である。この点を抜きにして「反ソ」、「反中」が自主独立の立場であるとみるのは皮相な考えである。いま中国の対外路線を批判することを「反中」あるいは「左翼排外主義」とする主張があるが、それは自主独立の意味の誤解からでたものと思う。排外主義（ショービニズム）とは「極度に反動的な民族主義」であり、他民族を抑圧し支配するために民族間の反目を煽り憎悪を駆り立てる思想と行動のことである。

ところで大国主義はソ連、中国だけのものではない。かつてのフランス共産党のマルシェ書記長は「フランス国民は強い大国意識をもっており米ソが核もっている以上、フランスがもつのは当然と考えており、フランスで反核闘争をくむことは難しい」といったことがある。大国意識にまかせておけば核廃絶はいつまでたっても実現できないであろう。

またこれとは逆にソ連崩壊後わかったことだが、かつてのイタリア共産党のベルリンゲル書記長は1980年代に「ユーロ核問題」(米ソ中距離ミサイルのヨーロッパ配備)で反核運動が燃え上がったとき、ソ連に一方的な中距離ミサイル撤去を求める書簡を送っている(デ・ア・ボルカゴーノフ『7人の指導者』)。ロシアの学者によると当時ブレジネフには「過剰防衛」思想があったそうであるが、ソ連は当然拒否した。

1984年12月、モスクワで核兵器問題で日本共産党の宮本議長とソ連共産党のチェルネンコ書記長との会談がおこなわれた。宮本はすべての国の核兵器廃絶を提案したのにたいし、チェルネンコは「ソ連に一方的廃棄を求めてるのではないのだな」と念をおし、そうだと答えると「分った」といい、戦後約40年間、ソ連が降ろしていた「核兵器廃絶」の課題を米ソ交渉の場でも提起するという歴史的合意に達した。1986年にゴルバチョフは15年以内にすべての国が核兵器を廃絶しようという提案をおこなった。ここまでは会談の成果が有効性を発揮したといえる。

現在の中国の核兵器問題への態度を批判するのは、中国に一方的な核兵器廃絶をもとめる立場からではない。すべての国の核兵器を廃絶する課題を外交交渉の場でも世論を動員する点でも前面に掲げることなしに課題は実現できないからである。アメリカが核軍拡競争の起動力であるにせよ、このことなしには核軍拡の悪循環にはまることになる。

核兵器廃絶のために日中両国人民が力をあわせて奮闘すれば、国際平和の事業への大きな貢献になるし日中友好の絆を強めることになる。また北東アジアを平和の地域にする課題のために両国人民が奮闘することも友好を深める大きな契機となるであろう。

おわりに

日本は中国にたいし侵略戦争をおこない中国人民に筆舌につくせない苦痛を与えた。日本人の誰もがこのことを忘れてはならない。私は戦後30年近く経て戦争当時の小学校の先生から突然電話をもらった。若い18歳の凛とした女性の先生であった。先生は「当時、日中戦争について間違った教育をしたのを許してほしい。教え子を探し当ててはこうして皆に謝っている」といった。私は感謝するとともに先生の住所・電話番号を教えて欲しいといったが、「この気持を伝えたいがための電話です」といって話を切られた。先生は教え子に謝罪をし終わったあと、おそらく長年かかえていた重い気持から解放され安堵されたと思うし、また中国についても平常心でみることができるようになられたものと想像する。日本にはこの侵略戦争に反対して闘った政党があったこと、またその伝統を受け継ぐ人々がいまいること、そして先生のような人々も数多くいるであろうことを思うとき、それらの人々には中国について是は是、非は非という資格があるものと確信する。これこそ日中両国人民の友好の真の基礎であると思う。

本文中に明記した文献以外に参考にした主要な文献
大西広編『中成長を模索する中国』（慶應大學出版会　２０１６年）
『奥深く知る中国』（かもがわ出版　２０１９年）
山本恒人講演・資料「中国の現状と未来　日中関係の行方」（２０１９年）
『立命館経済学』（立命館大学経済学会　２０１７年３月）
矢吹晋『中国の夢』（花伝社　２０１８年）

梶谷懐『中国経済講義』（中公新書　2018年）
石原享一『習近平の中国経済』（ちくま新書　2019年）
益尾知佐子『中国の行動原理』（中公新書　2019年）
雑誌『月刊中国情勢』（中国通信　2018年5月号）
雑誌『人民中国』（特集「貧困脱脚」　2019年8月号）
「中国通信」　2019年1月8日付
井村喜代子論文「中国の技術・経済の躍進」（『政経研究』　2019年）
関志雄論文「供給側構造改革への提言」（2019年）
野村総合研究所報告「供給側構造改革について」（2019年）

V

中国の体制規定とその変革の論理

山本恒人

はじめに

シンポジウム「中国は社会主義か⁉」という企画のシンポジストのひとりにという提案を受けた時、なるほど時宜に適った企画だと思うと同時に、コーディネーター聽濤弘（以下全て敬称略）のシンポジウムの「課題提起」をえて、いよいよ筆者なりの中国研究のひとつの決算となるという課題意識を持つに至った。

筆者は、中国はまだ「社会主義体制」には到達してはおらず、現状では「社会主義を志向する」という認識すらもちえないという視点に立っている。その場合問われるのは、それでは中国の現在の体制をどのように規定するか、という根本問題である。本稿はそれに正面から応えようとするものである。それに成功しているかどうかは読者の判断に委ねたい。

第1節では、中国の体制を「大きな政府型資本主義」（第1項）および「国家資本主義」（第2項）と規定する。そのように規定する限りは、中国資本主義における「資本・賃労働関係」（第3項）および「資本家階級の存在」（第4項）に言及しなければならない。本稿の中心的な課題意識はこの第1節におかれる。第2節では、中国資本主義のあるべき「体制変革」とは何かが4つの項にわたって論じられる。とはいえ、筆者は中国の先進国化はこの中国資本主義によって達成されると展望しており、第3節では中国が先進国化に向けて歩む過程で直面するだろう諸課題をふまえて、「中国の大国化と国際対応の新時代」という表題のもとに2つの項を設けている。

本稿がこのような構成を取るに至ったプロセスでは、シンポジウムにおけるコーディネーター、シンポジストとの議論、およびシンポジウムを準備するにあたってやりとりされた「事前パンフレット」、「事前質問書」（いずれも巻末に所収）を含む議論によって大きな啓発を受けた。ひきつづきシンポジウム当日の参加者を含む各位の忌憚ない批判を期待するものである。

一、中国の体制規定について

（1）中国は「大きな政府型資本主義である」（現状の認識、あるいは成功の事実の理解と説明）

中国共産党19回大会後に、林毅夫（北京大学新構造経済学研究院院長）は改革開放40年を記念して、中国の経済発展を大意次のように総括している。党11期3中全会は改革開放の新しい時代を切り開き、我国は発展の経路を変えて市場化改革をすすめ、社会主義市場経済体制を打ちたてた。そして、我国の国情に適合する発展目標を確立し、豊富な労働力という比較優位を利用し、雇用をうみだし、かつ農村の大量の余剰労働力を吸収しうる労働集約型産業を発展させることで、対外輸出と国民経済の高度成長を実現した。その過程は、とりもなおさず利潤創造と資本蓄積の過程でもあった。それは我国の要素腑存構造を労働力の相対的豊富から資本の相対的豊富へと転換させ、比較優位を労働集約型産業から資本集約型産業へと転換させた。計画経済体制から社会主義市場経済への転形が成功したからこそ、我国は後発の利益を十分に活用することができたのである。(注1)

林院長の総括的論評は明快であり、中国の経済的成功の本質的要件を解き明かしている。なかでも「後発の利益を十分に活用」できたという認識は経済学者として際立って優れたものである。彼が指摘するように「後発の利益」こそ、中国の今日の発展を理解し、説明する最も重要な視点だといえよう。「後発の利益」はガーシェンクロン（A.Gerschenkron）が見出した経験則であり、後発国は先発国が開発した新しい技術を導入しながら工業化を推進するため、その技術進歩は潜在的には急速であり，それゆえ経済成長率も先発国を上回る。まさに「後発国ほどその工業化は『圧縮』されたものとなる」という渡辺利夫による評言の通りである。(注2)

もちろん「後発の利益」は所与のものではありえず、「後発の利益」の実現は後発国（経済開発主体）の受容・消化能力（内部化）の有無が左右する。後発国の政府がリーダーシップを発揮し、経済官僚の育成や開発プログラムの策定、技術人材の育成や企業の誘導に努めることが不可欠となる。後発国の「大きな政府型資本主義」の成功例が、第二次大戦後の日本の高度成長であり、その変型としてのＮＩＥＳ（韓国・台湾・シンガポール・香港）における開発独裁型高度成長である。第2次大戦後独立を果たした諸国は「輸入代替型工業化」によって経済的自立を果たそうとしたがさまざまな障害にぶつかった。転機はＮＩＥＳである。開発独裁型政府の強力なリーダーシップのもと「輸出主導型」成長路線に転換し、成功をおさめた。各国はその後開発独裁から民主化へと向かうが、総体としては日本に追いつき追い越す勢いを失ってはいない。中国の成功は、これらの歴史的経験の延長線上にあって、外資導入と対外貿易の拡大を梃子に、強度の集権（開発独裁）と民間の活力との弾力的な配合が「市場原理」の導入によって実現され、「経済大国化」を達成したのである。

中国が「後発の利益」を実現するにあたってもちえた要件「受容・消化能力」については、林院長は「計画経済体制から社会主義市場経済への転形」が成功したことにおいている。果たしてそうなのであろうか。筆者が右に示した中国の成功についての理解と説明では、成功における「社会主義的要件」はとくに必要とはならない。この点こそ本稿の全体の論旨に関わる問題なのである。ただし、中国が「大きな政府型資本主義」であると規定するうえで論拠の1つとして右にあげた日本の「高度成長」の歴史的経験については、若干の追加的説明が必要であろう。

第2次大戦後の日本の経済復興と高度成長は、傾斜生産方式、財政投融資型財政など政府主導型開発プログラムに牽引されながら、農村改革による国内市場の拡大、労働改革や日本型企業経営などが複合して「JAPAN AS NO.1」とも言われた目覚しい高度成長を実現した。この点について野口悠紀夫が興味深い分析を行っている。野口によれば日本の戦後復興と高度成長とを支えたのは「１９４０年代体制」であるという。「１９４０年代体制」とは戦時期に作られた総力戦のための経済システムである。戦争遂行という目的は戦後に変更され、「軍事力でなく経済力、とくに生産能力の増強が目的となった。その目的の実現にあたって、官僚を中心とする戦時体制がそのまま機能した」のである。(注3)野口は、政府（通産省やとりわけ大蔵省）主導の「低金利・資金割り当て」制度や「財政投融資」制度を軸とした成長政策の展開を詳細に分析し、10％前後の高度成長（1950年代前半から60年代後半）が実現したプロセスを明らかにしている。

（2）中国は「国家資本主義」である（理論的な規定）

中国が社会主義体制を自称し、改革開放後の「社会主義市場経済」についても社会主義だと主張しているのであるから、（1）に見たように「大きな政府型資本主義」だという「現状の認識」を示すだけでは不充分となる。したがって、中国が主張する社会主義とは実は資本主義なのであるということを、理論的に規定する必要からこの第2の規定を設けたのである。筆者は、中華人民共和国の体制を従来は「現存社会主義の体制」と批判的に理解してきた。また「社会主義市場経済」という中国の自己規定にもとくに異論を差し挟まなかったが、体制理解の立場の変化を改めて表明した（2010年）。その変化は大谷禎之介・大西広・山口正之らの次のような見解への共感と同意にあった。(注4)

かれらはソ連の社会システムは先進資本主義諸国とは著しく異なる特殊性を持つ「国家資本主義」と主張する。この国家資本主義の定義は、同書の叶秋男によれば「生産手段が国家に帰属し、その占有・処分権をもつ国家官僚が資本機能を遂行し、生産手段から切り離された直接的生産者が賃労働に従事するシステム」(注5)である。「社会主義へ移行するために必要な経済的物質的基礎を持たなかったプロレタリア国家は、後発資本主義国の工業化の一形態としての国家資本主義の独自な表現」なのである。(注6)中国については、大西広は毛沢東期を国家資本主義と捉え、改革開放期を市場資本主義と捉えている。なぜならば、改革開放期には資本蓄積が市場的要因によって促進される段階に入った、と考えるからである。[注7]この大西広の視点は副題に示されているように、中国の市場資本主義は「社会主義に向かう資本主義」であり、ここに取り上げた研究グループが生産力発展、科学技術の発展をとくに重視する「唯物史観」の特徴をもつことに由来する。

　中国が国家資本主義だと規定する場合、議論すべき論点がひとつ残されている。大西広は中国の現状を「市場資本主義」ひいては「国家独占資本主義」と捉えており、毛沢東期の中国こそ「国家資本主義」として区別している。補足的にこの問題を検討しておきたい。すなわち大西は筆者が「高成長期の日本＝現在の中国＝『大きな政府型資本主義・国家資本主義』」としているのに対し、今日の中国を「市場資本主義」とした上で、「戦前期の日本＝毛時代の中国＝『国家資本主義』」と捉えている。筆者の場合は、あえて現段階を「大きな政府型資本主義」であるとともに、理論的には「国家資本主義」であるとするのは、中国では現在なお「生産要素市場」（土地・労働・資本各市場）が十全な確立をみていないことを注視しているからであり、これからそこに向かうと想定しているからである。大西とは紙一重であるが、その「跳躍点」を考慮しておくべきではなかろうか。大西の視点を配慮した上で図式的に表せば、〈戦前期日本の国家総動員体制＝毛時代の中国＝強権的で粗野な「国家資本主義」→「高度成長期の日本＝現在の中国＝「大きな政府型資本主義」・「国家資本主義」→これからの中国＝市場資本主義・国家独占資本主義・後発帝国主義に向かう〉である

　中国は「大きな政府型資本主義」のもとで発展を続け、大西広が検証したように２０３３年頃には先進国化を遂げる。[注8]大西は、その前に日本がバブル崩壊とその後の長期経済低迷を経験したように、大きな揺れを経験する可能性を推測している。それは国内要因、国際要因あるいはその複合要因が関わるであろうが、政府のリーダーシップによって適切に対応して切り抜けていくことを期待したい。

（3）中国における資本・賃労働関係

第1項、2項で筆者は中国の体制が資本主義だと規定した。その場合、中国資本主義における基本的生産関係は資本・賃労働関係となる。中国が社会主義であると考える人々は多くの場合、そこでは商品・価値関係が廃絶され、したがって剰余価値追求も存在しえなかったという前提に立っているから、資本・賃労働関係は存在しないと主張することになる。しかし、それは事実をふまえた思考とはいえない。

中国における改革開放は「国内市場の再評価」路線でもあり、農村政策の抜本的改善、消費財産業の重視、労働集約型輸出産業の振興政策、外資導入と新技術の受容を通じて、中国経済を好循環軌道に乗せた。現段階は輸出主導・投資優先型成長から内需主導・消費優先型で、技術革新にもとづく内包的経済成長を目指しており、先進国化を確実に展望できる段階を切り開いた。それらを国有、非国有経営体という広範な土台で支えてきたのが資本・賃労働関係である。資本・賃労働は膨大な「農民工」や非国有セクターのみならず、中央企業を頂点とする国有セクターにあっても基本的関係である。その下では、国有セクターの正規労働者が「再就業工程」（中国型レイオフ）という名で解雇されることもある。この場合、ラインから外されるという意味ではレイオフという訳語は正しいと言えるが、レイオフとはそもそも景気の回復や企業経営の好転によって職場復帰が可能であるという意味なのだから間違った訳語となる。「再就業センター」に吸収された当該労働者は転職が決まるまでは若干の手当を受け取ることができるが、同企業同職場に復帰することはほとんどありえない。これは解雇以外の何ものでもない。(注9)非正規労働の大群「農民工」の主な就業先のひとつが国有企業であることもよく知られている。表1（次頁）は国有企業が最大の就業先となった時期の事例である。そうした構造全体を牽引してきたのが中国共産党率いる官僚集団なのである。

表1　農民工の都市における「正規」就業領域推計値

（万人）

就業先	就業割合 (%)	1997年 農民工実数
国有企業・事業体	19.33	594
都市集団企業・事業体	9.24	284
都市私営企業	13.45	413
郷鎮企業	9.24	284
三資企業	5.04	155
個人経営体	12.61	388
都市・農村の家庭	5.88	181
個人経営の起業	9.24	284
その他	15.97	491
合計	100.00	3074

注:就業先の割合数値は下記出所より転記。
出所:馮海發「中国農業勞動力転移的現狀、前景及対策」『復印報刊資料・F102』1997年3期、23頁。

改革開放期は市場経済化を基本とするのだから、たまたまそういうこともあるだろうという話ではない。中華人民共和国建国以来「資本・賃労働関係」が廃絶されることがなかったことは、中国の現実の資本蓄積構造を概観すれば明らかである。細部にまでは入り込む紙幅はないので都市と農村の端的な2例を挙げる。第1の例示、労働者からの剰余価値搾取（「合理的低賃金制」の体系……実質賃金は80年代に入るまで1957年水準を超えなかったが、経済の規模自体は1957年から78年にかけて年平均6・15%の拡大をみた）の存在である。[注10] 第2の例示、農民からの価値収奪（農村市場の国家独占とそれを支える農村集団化……第1次5カ年計画期（1953—57年）におけるその価値収奪総額は同期国家基本建設投資総額をカバーする水準であった）。筆者が例示した「農民からの価値収奪」は単なる余剰農産物の価格移転ではない。農村集団化と同時に導入された「統一購入・統一販売」制度は旧来の農村市場での自由取引を廃止し、農村集団と国営商業との間での取引に一本化することになった。すなわち農村市場の国家独占である。価格決定権は国家の手中にある。農村からの農産物購入にあたっては本来の価値以下に価格設定し、農村への工業製品販売にあたっては本来の価値以上に価格設定することによって生ずる二重の価格差こそ、土地改革後の農業生産発展によって生まれた剰余生産物価値（利潤）を国家に吸い上げる手段となったのである。[注11] 都市・農村とも生産手段を国家ないしは集団が所有しているという限りで、公有制経営体と直接生産者との関係は見えにくく、しかも価格は人為的に決定されており、「価値関係」は隠蔽されている。しかし、剰余価値、生産物剰余は確実に国家の手元に獲得もしくは収奪されていったのである。

中国では以上を基本的資金源泉として国家・経済・社会が成り立ち、冷戦構造と国際的中国敵視政策に対応し、乗り切ってきたのである。それは政治運動（階級闘争）の継続による混乱とも相まって、社会的貧困と乏しいとはいえ工業基盤の初期的形成をも蓄積してきたが、都市と農村を分断する「戸籍制度」に象徴される都市・農村の二重構造をはじめ社会的構造矛盾を累積させてもきたのである（「戸籍制度改革」の三段階の歩みを経ても1958年「戸口管理条例」は現行法である）。

（4）「資本家階級」についての考察

改革開放後勃興した大・中型民営企業および外資系企業の資本家については述べる必要はないであろう。ここでは筆者の定義2の主役、中央直属国有企業をはじめとする国有企業について考えてみよう。ここでも中国を社会主義と捉える人々は国家中央・地方政府所属の国有企業は生産手段の社会的所有の一形態であり、それは生産手段の私的占有を廃するものであって、民営企業等の資本家は存在しても、資本家階級は存在しえないと考えている。筆者は、定義2で説明したように「生産手段が国家に帰属し、その占有・処分権をもつ国家官僚が資本機能を遂行し、生産手段から切り離された直接的生産者が賃労働に従事するシステム」（前記・叶秋男）と見なしているのだから、あえていえば「国家官僚」を資本家階級になぞらえてもよい。

さらに議論を一歩進めるならば、この国家権力が「私化」されれば資本家階級そのものとなる。毛里和子は「市場化によって進んでいるのは実は国家の『私化』である」という仮説を設定している。毛里は、「国有もしくは国家資

表2　中国社会階層モデル表〔21世紀初頭10年〕

—割合と人数は経済活動従事者総数7億9243万人（2008年）に占める各階級層の人数と割合—

	割合	人数（万人）	職種と地位
上階級層	1.5%	約1200	政府トップ（8.66）、国有銀行・大型事業単位責任者（8.38）、大企業経営者（8.10）、私有大企業経営者（7.82）
上・中階級層	3.2%	約2500	科学思想芸術高級知識人（7.40）、中・高級幹部（7.02）、中企業経営者（6.24）、私有中企業経営者（6.34）、外資系企業管理職（6.32）、国家独占産業中企業管理層（6.24）
中階級層	13.3%	約10500	一般工程技術者・科学研究従事者（5.52）、一般弁護士（5.90）、大学・高校教師（5.52）、一般文芸従事者（5.88）、一般ジャーナリスト（5.88）、一般機関幹部（5.54）、一般企業中下層管理人員（4.64）、小型私有企業経営者（5.34）、個人工商業者（4.98）
下・中階級層	68.0%	約56000	生産第一線ワーカー（3.24）、農民工（2.24）、農民（2.14）
下階級層	14.0%	約11000	都市部レイオフ労働者・失業者（1.62）、農村困難家庭（1）

注記：①職種毎の（）内の数値は、「資産」、「権力」、「社会的評価」のそれぞれで最下級の「農村困難家庭」を1とした場合の係数を出し、3つの係数を加重平均した数値である。「上階級」は7.82～8.66、「中・上階級」は6.24～7.40、「中階級」は4.64～5.90、「中・下階級」は2.14～3.24、「下階級」は1～1.62、とされている。

②「事業単位」とは中国独特の区分で、国家機関でもなく、国有企業でもない国営事業、具体的には教育・衛生・報道・文化事業等を指す。

③一般機関幹部は国・地方政府機関、党、社会団体等の中下層人員を指す、一般公務員のこと。レイオフは一般に国有企業改革過程でリストラされ、転職できなかった事実上の失業者のこと。

出所：楊継縄『中国当代社会階層分析』江西高校出版社、2011年、351頁、「表15−1」が大きな表の為、筆者の責任で「職種と地位」欄を簡略に加工し、作図した。

本主義の『国』の実態、国有企業の担い手は何か、機関を持つ国家そのものなのか、それとも国家を名乗る（共産党のような、あるいは中央の某官庁のような、あるいは地方政府のような）公的集団なのだろうか、それとも国家を僭称する巨大な私的集団なのだろうか、はたまた国家を名乗る巨大巨人なのだろうか。国家は彼らによって簒奪されたのだろうか」を検証しようとしているのである[注12]。現在、中国の経済学者（茅于軾、呉敬璉）、社会学者が論じている「権貴資本主義」、「権貴資本家」の世界はそのひとつの例示となろう。「文革の最終的勝利者は官僚集団である」と分析した中国の改革派社会学者楊継縄は次のように述べる。「毛時代の官僚集団（かれらの子供たちや親戚友人含む）は改革開放のなかで新たな「権貴者」（権力を保持した高位の人）となったのである」[注13]。これらの「権貴資本家」、「権貴者」の存在が精密に検証されれば、いいかえれば「生産手段が国家に帰属し、その占有・処分権をもつ国家官僚が資本機能を遂行している」中国国家資本主義において、「国家の『私化』」の仮説が検証されるならば、中国における資本家階級の存在は確定するといえよう。

右の表2は、楊継縄が示す20世紀初頭の中国の社会階層モデル表である。この分析の特徴は階層分析にあたって、所得基準だけに依存するのではなく「権力との距離の遠近」基準を組み込んでいることである。この図表からは中国における経済格差のより掘り下げられた実情と社会階層トップ層が官僚諸集団と純然たる資本家との混合編成になっていることが読み取れる。

二、中国における体制転換

中国が資本主義であるとする筆者にとっても、中国が先進国化を遂げて後の遠い将来、社会主義に向かうことを、もちろん期待したい。ただそのような変革は高度に発達した資本主義という物質的基礎ができあがってはじめて課題として登場するというものではない。その意味で現在の過程が大切なのである。

（1）変革の基本：資本・賃労働関係の変革

資本主義から社会主義への体制転換にとって最も基軸をなすものは資本・労働関係の変革であり、その変革の主体的条件の形成である。岩林彪は故上島武の社会主義論における固有性が、「あるべき社会主義の建設を担う主体のあり方、すなわちあるべき社会主義の主体的側面に関わっている」と指摘し、上島が主張した「社会主義の主体的要件」について次のように的確にまとめている。(注14)

＊社会主義社会を運営し、そこで生産を組織する主体は労働者、労働者の自発的組織とそのさまざまな結合体である。

＊経済計画を作成し、実践し、その諸成果を点検しつつ新たな計画を作成するのも労働者自身である。

＊労働者は自らの上に君臨する新たな階級や新たな人間集団、その機構を必要としない。

＊社会主義はそこに要する時間は別として、国家と国家機関を構成する官僚を徐々に振り捨て、やがて不必要なものとする。

＊人間を「物」の支配から解放し、「人」の支配から解放する。これが社会主義の究極の目的である。

中国の現実にあっては、労働運動の再生およびそれをもとにした直接生産者・労働者と労働手段との結合の追求が鍵となると考える。中国では労働組合は各企業・事業体に置かれる末端労働組合「工会」であり、それらは「中華全国総工会」に統括され、その系列以外に独立した労働組合は認められない。建国当初から労働運動はその規約に定められた2つの基軸的役割（「共産党と労働者階級をつなぐベルト」としての役割と「労働者の権益を守る」役割）のせめぎあいの中で、「労働者の権益を守る」軸を党から相対的に独立しながら優先した時に度々手厳しく弾圧され、基本的には前者の軸に傾いて存在せざるをえなかった。(注15)すなわち労働組合は共産党の「一党支配」の統制のもとで、経営体・事業体内部で資本（国家資本）・賃労働関係を支える存在であり続けたのである。中国の労働運動の今後は何よりも「労働者の権益を守る」役割をにないつつ、広範な経営体や市民とともに「生産手段の社会化」を多様に担い、機能させる、労働者によるアソシエーション運動として牽引されなければならない。

（2）政治の民主的改革　一党支配の克服

西村成雄によれば、党と国家が切り離し難く癒着した「党国体制」とは孫文に由来する「以党建国」「以党治国」という「政党国家（党国）政治体制」である。その意義は「ある政党が『なお未成熟な国民国家』の役割を全面的に担いつつ、国際的に近代国民国家体制のメンバーとして参入しようとする政治的凝集力の制度化にあった」。建国以降の中国共産党を中心とする「ヘゲモニー政党制」と「一党制」とは交錯したが、「党国体制」は「後発国にとって国民国家形成のための歴史的選択であり、手段でもあったと位置づけられる」(注16)。その意味で、中国の発展過程において「党国体制」が中国共産党の政権においても踏襲されたのは必然的であり、とくに改革・開放期に大きな経済発展を導いたことは評価されるべきである。しかし、「党国体制」と社会主義とは両立しえない、というのが筆者の考えである。「党国体制」は必然的に「ナショナリズム」を普遍的原理として国民に浸透させ、定着させていく重要な基礎となり、伝統思想のひとつともいえる「大国主義」の淵源ともなる。したがって、現実には国民を結集することによって体制を強化する一方で、国内的には少数民族との摩擦を増大し、国際的には周辺諸国との政治的、軍事的、外交的摩擦を拡大しかねないという発展上の制約要因ともなるのである。

中国における強固な一党支配は「後発国における国民国家形成のための凝集力」としての「党国」体制に加えて、スターリン時代のソ連を踏襲した「プロレタリア独裁」型中央集権体制の所産でもある。集権体制の核となる官僚集団は共産党員を中心とする幹部によって担われ、官僚システムの肥大化とその権限の強化は次第にその手に経済的、政治的、社会的利益を集中するようになる。これが、「社会を支配する上での党の武器庫の中でも最強力の武器」(注17)といわれたノーメンクラツーラ体制である。ノーメンクラツーラは共産党一党支配の体制と不可分である。共産党のもつ中央集権原理は社会のすみずみのリーダーシップを中央委員会に、そしてその長たる総書記に束ねる組織原理を持っている。国民が権力を一旦共産党に委ねてしまえば、国家権力の意思と国民の意思との相互交通を保証する制度的機能はない。国民が共産党に強制する手段はなく、共産党が国民に強制する手段のみが残される組織原理なのである。この原理があって初めてノーメンクラツーラは支配階級となりうる。こうして国家権力は共産党によって、共産党員からなるノーメンクラツーラによって、そしてノーメンクラツーラを選抜する総書記によっても簒奪される可能性が成立する。ノーメンクラツーラ体制は1950年代に直接ソ連に学んで中国にも導入されたのである。[注18] 意思決定上の「主権在党」(前記西村成雄の規定)による「国民主権」への阻害や「異議申し立て」の排除は、原理的にも社会主義とは相容れない。その構造の根本は、中国共産党が超法規的存在として国民の最終的監督を受けないですむことにある。中国共産党は「法治と党治の両立」と説明しているが、それは究極的には法治の制約(権力行使の制限)を受けないということを意味する。それこそ中国の体制における民主主義の存立を妨げる究極の根拠なのである。

中国共産党は政治の民主的改革を頑なに拒んでおり、知識人、ジャーナリスト、弁護士らをはじめとする民主派に対する抑圧を強めている。しかしながら、よく見れば共産党の政権退陣まで要求する民主派は少数であり、6・4事件以来民主化運動の先頭に立ってきた故劉暁波ですら、共産党退陣を主張したことはなく、政権に対する「チェック&バランス」の構築という現実的な主張に徹した。[注19] 人権派弁護士たちも、全国に広がる「官民の衝突」にあって、民の権益を擁護して闘い抜いているだけで投獄されている。全国人民代表大会・政治協商会議制度などを「協議民主主義」の成功例として、「多数決」民主主義の欧米とは異なる民主主義の中国での定着として評価する研究者もいるが、「汚職と腐敗」の蔓延の中で、深刻化する「官民の衝突」という現状から見ても非現実的過大評価と言わざるをえない。楊継縄は次のように指摘している。「社会矛盾が累積し、遂にはカタストロフィ型の変事に至りかねない」。楊がその予兆として取り上げているのは多様な「群体性事件」(大衆的騒擾事件)の多発(年間18~20万件[注20])であり、以下のような種別を例示している。「労使衝突」、「農村末端での農民と農村幹部をはじめとする既得権益層との対立と衝突」、「農村地域での土地強制収用や開発に伴う立ち退きをめぐる紛争」、「地方幹部、公安・検察・司法一体化した不正・横暴をめぐる紛争」[注21]。

「社会的抵抗」もしくはその萌芽は、文化大革命以前にも文革当時にも存在した。公民としての権利が損なわれるところに「社会的抵抗」は不可避だからである。文革当時との大きな違いは、民衆がもはや「政治動員」という舞台を必要としないことである。それだけ「社会的自治」能力が高まっているからであり、情報化社会の進展もこの過程を加速している。現在の中国の制度的空間配置において最も欠如しているのは、政権の意思決定とその行使に対して、国民が客体的な立場に止め置かれ、意思決定の主体に成りえないばかりか、政権の判断に誤りがあった場合にもそれを批判し、その意思決定を覆す権限を持ちえないでいることである。国家権力の意思と国民の意思との相互交通を保証する制度的機能が欠如しているが故に、「群体性事件」が絶えないのである。主権者国民と中国共産党政権との「協議民主主義」を超える対話（チェック&バランス）と問題解決のための制度構築が何よりも先ず急がれるのである。

しかしながら、「群体性事件」の発生に対して、政権の側が真っ先に取った対応は旧態依然たるものであった。弾圧体制の先行である。自然災害・事故災害・公共衛生事件・社会安全事件を対象とする「国家応急預案体系」が国務院「国家突発公共事件全体応急預案」（2006年1月）をはじめ，中央軍事委員会などでも着々と整備されている[注22]。

（3）変革の担い手　社会の復権

第1図（次頁）は神野直彦によるものである[注23]。市場社会における政治・経済・社会の3つのサブシステムにおいて、市場経済によって浸食され、矮小化される社会システムに対して、政府が市場を制御し、また社会を補足するあるいは救済する必要性、そしてそのことによって市場社会がバランスし、維持されるというもので、新自由主義金融帝国

図１　市場社会の三つのサブ・システム

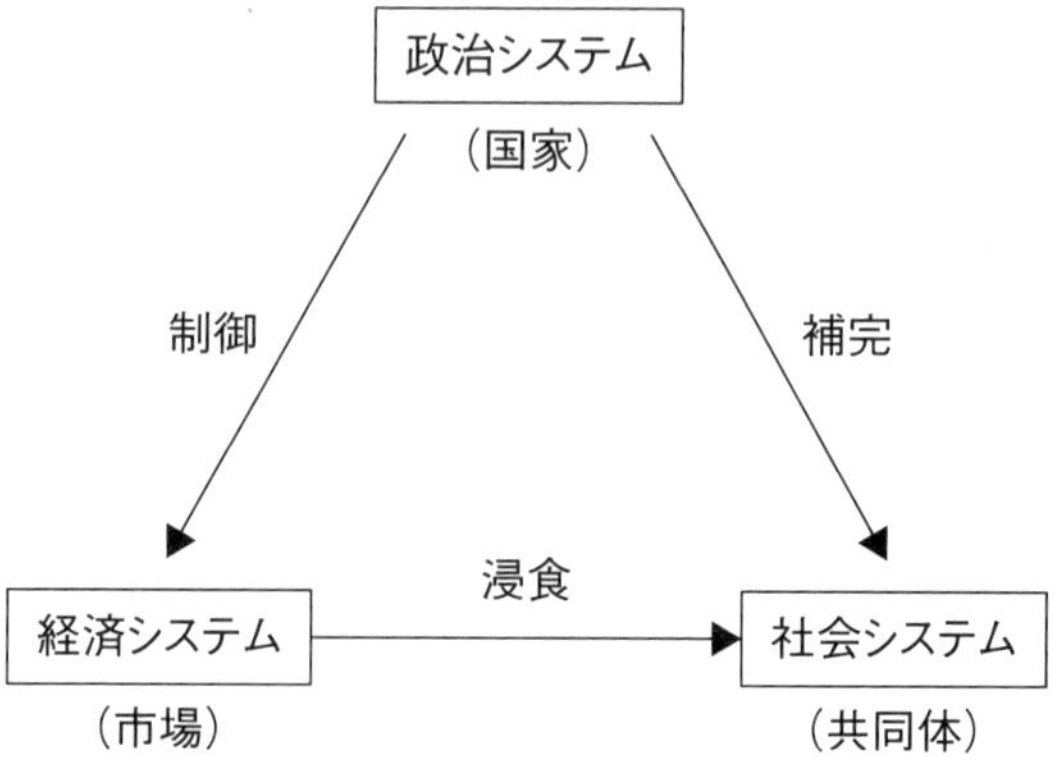

出所:神野直彦「市場を民主主義のもとへ」『世界』2013年11月号、p.102、図1。

時代の世界、アベノミクスによる日本の経済社会の歪みに対する強い批判とそれへの対抗的な立場が示されている。

この神野図での社会は明らかに「受動的存在」である。社会による政治と経済への反作用が欠落した図。共同体が商品経済によって解体の過程を歩むのはその通りであり、要素市場（土地・資本・労働各市場）が確立した市場経済のもとで、社会としての復元の必要に迫られているのは事実であるにもかかわらず、この図における「社会」はなんとひ弱な、非主体的存在ではないだろうか。この神野図は中国国家資本主義の現在の姿であるといってもよい。しかし、この図の延長線上に日本の現状打開も中国の未来も展望できるであろうか。

「社会システム」（共同体）とはそのような専ら作用のみを受ける受動的存在なのか、当然、「社会システム」（共同体）の側から「政治システム」（国家）に対しても、また「経済システム」（市場）に対しても反作用があるはずである。このように考えることから、「社会システム」（共同体）の「政治システム」（国家）および「経済システム」（市場）に対する反作用とは何か、さらには「社会システム」（共同体）の主体性とは何かを考える機会を与えられたのである。それは「社会主義の担い手」を考える場合のいわばキーポイントでもあり、「20世紀社会主義」の究極の問題点と係る問題なのである。言い換えれば、「党国体制」や「一党支配」を克服する担い手の理論的根拠の発掘である。

それを考え始めた時に出会ったのが故井汲卓一による「変革の主体としての社会」という発想であった。(注24)大著であり、序章、終章含む5章7節にわたって、マルクス、エンゲルスの言説をふまえつつ、その問題点をも摘出し、独自の視点を提起するが、試論の域にあって、難解でもある。しかしながら、力強い論理的骨格を有し、「アソシエーション」論にも共有されるような重要な理論的問題提起となっている。資本主義中国が社会主義への転換点を迎えるという場合、筆者はいわゆる「革命」として「国家権力」の掌握という過程を必然的な過程の限りにおいて認めるものの、それ以上には必ずしも重視するものではなく、「資本・賃労働関係」の変革をこそ重視する。井汲卓一が「新しい社会は権力の奪取によっては生まれない。権力なき新しい社会はそのような内実をもった原理を旧社会において形成しなければならない。基本的な私的個人の権力を社会の権力として確立することこそ、その内実となる」と指摘していたことと重なる。

井汲の「変革の主体としての社会」の論理構造を簡略に示しておこう。

＊社会：社会とは類的な共同的存在としての人間の意識によって生み出され、社会は人間の意識的意志的活動を通じて再生産される。

＊社会の変革：社会の再生産としての社会の変革は、旧社会の内部で本質的には異なる原理をもって胎生される。それは社会の構成員総体の新しい意識的社会的行為によって形成される。

＊革命：真の革命はその社会の文化の基本的構造を変革する文化革命である。政治革命は文化革命に従属してのみ真の革命でありうる。

＊権力：新しい社会は権力の奪取によっては生まれない。権力なき新しい社会はそのような内実をもった原理を旧

社会において形成しなければならない。基本的な私的個人の権力を社会の権力として確立することこそ、その内実となる。

井汲は「旧社会の内部で本質的には異なる原理をもって胎生される」について、次のように説明している。「資本の上皮をとり去ればそこに本来的に社会化である社会化が実現するというものではない。社会化一般が資本の表皮のもとで発展しているのではない。だがマルクスの語るところは資本による労働の共同化社会化＝社会的組織化のなかで社会主義のための社会的組織化のための基本的形態が発展し、形成されているかの如くである。だがおそらくそれは完全な幻想である」(注25)。また例えば、「権力」なき新しい社会を旧社会の内部で形成することの意義については、「それは困難な闘いであろうが、権力を獲得して然る後にその権力を解体する社会をその権力を通じてつくり出し、その社会によってその権力を解体するというような、全く空想的で手の込んだしかも非現実的な展望に耐えるよりは容易である」(注26)という。

井汲の問題提起は次のように言い換えることができる。神野の図で専ら受動体とされているサブシステムとしての「社会システム」は、先ず、他の2つのサブシステムとしての「国家システム」に対しても、また「経済システム」に対しても作用する主体である。そればかりでなく、3つのサブシステムを包含する全体社会（この図の場合は「市場社会」）の運動原理において、「社会システム」がエンジンの役割を果たしていることを明らかにしようとする試みだといえる。それは全体社会を統括する機能をもつ「国家システム」、全体社会を物質的に存続させる「経済システム」を含む全体社会を生み出し、再生産するためのエンジンなのである。エンジン（社会）は燃料なしには機能しないが、その燃料こそ人間の意識的意志的活動である。「一党支配」体制批判は「支配される」側の主導性の論理構築があって初めて有効となる。それはまた、上島が示す「社会主義の主体的要件」と重ねて理解されるべきである。

（4）変革の展望　統治の正統性問題

習近平現国家主席・党総書記は、大胆にも「人民大衆が強烈に反撥している党内の大問題が解決できなければ、わが党は遅かれ早かれ執政資格を失い、歴史によって淘汰されるのは避けがたい」(注27)と、全党を戒める。「党内の大問題」とは直接には「腐敗」の蔓延を指すが、別の場で「民衆が深く恨み、徹底的に嫌うこと」として、「形式主義、官僚主義、享楽主義、贅沢三昧」を挙げている。(注28)

習近平のいう「執政資格」とは通常の政治学的用語では「統治の正統性」である。彼は上記「戒め」の講話の中で、1949年3月23日、北京入城に向け河北省平山県西柏坡を出発する際、毛沢東が「我々は今日から試験を受ける日々を送る」と述べたことを紹介している。10月1日、天安門楼上の建国式典で、毛沢東が胸中にこの思いを抱いて建国を宣言したのである。彼は中国革命が民の支持を受けたことへの自信と、これからの施政によって最終評価が決まるという緊張感とをもって、天安門に立っていたのである。「試験官」が民、国民であることはいうまでもない。

統治する側が常に自らの「統治の正統性」を主張するのは当然であるが、「統治の正統性」の最終審判者は統治される側である。しかし、習近平主席にとって「淘汰」すなわち中国共産党の退路などというものはありえない。そこで問題解決を党による「自浄能力」に求める。結局のところ、党の問題状況は党自体が「試験官」となって「解決」せざるをえないのである。そのような解決法が有効性をもちえないことは明らかである。「人民大衆は眼を凝らして中共中央と国務院がどう対処するかを見つめている。ようやく好転してきた中国がその前途に夭逝することがあるとすれば、それは腐敗によってである」(注29)。党の自浄作用に効力がないとすれば「官民の衝突」が生まれ、「群体性事件」に至るのは当然である。それゆえ、いざという時のための暴力装置「「国家突発公共事件全体応急預案」が用意されていることは二—（2）で見たとおりである。

問題の根源は指導者個人の思考によりも構造そのものにある。中国憲法には「社会主義法治国家」という規定がある（１９９９年改正憲法）。ここにいう「社会主義法治」とは、「国家は国家権力が定めた法に従って統治されるという概念であり、国家権力を制限する『法』の存在を認める『法の支配』の概念とは別のものである。また、法の制定主体である国家権力は共産党により指導される存在である」[注30]（森川伸吾）。すなわち、中国共産党が超法規的存在として君臨しうる構造なのである。各地で起こる官民の衝突にあって、人権派弁護士が民の権利を擁護して献身することを共産党が忌み嫌うのは、このような構造に由来する。しかしながら、建国１００周年を迎える２０５０年には、中国は世界に冠たる先進国となる。この過程では、「構造問題」は国内的枠組みを超えて、国際的な試練（「試験」）をも受けつつ、変容を迫られていくであろう。「香港・一国両制」問題、「一帯一路・摩擦とその解消」問題の浮上はその兆候である。[注31]

三、中国の大国化と国際対応の新時代

(1) 大国主義・軍拡路線・後発帝国主義

井手啓二による「中国はアメリカとともにアジアの軍拡を主導しているとみられている。中国の経済発展と豊かさへの前進は称賛に値するが、平和・軍縮・自由と民主主義の旗手たり得ていない」[注32]に同意する。そして、この課題解決がひとり中国だけに課せられたものではなく、日本の課題としてもあることを細部ではなく大筋で論じておきたい。

中国の先進国化に向けての三段階発展目標は「２０２０年小康水準の全面的達成」、「２０３５年社会主義現代化の基本的実現」、「2050年富強・民主・文明・調和の美しい社会主義現代化強国の実現」とされている。経済的先進国化に即してみれば、くりかえすが大西広が2033年にそれが達成されることを既に検証している。この歩みは中国の経済的発展段階としてみれば、独占資本と金融資本および純資本輸出国化を達成しているという意味で、帝国主義段階を迎えようとしている、と判断することもできる。この点について、大西は次のような意味で「中国帝国主義」を論じている。(注33)

＊中国は独占資本が国家と癒着した典型的な国家独占資本主義段階にある
＊遅れて登場したブラジル、ロシア、インド、南アフリカとＢＲＩＣＳ同盟を形成。先発帝国主義たる西側同盟と対峙している
＊この構図は、先発帝国主義と後発帝国主義との闘いであった第一次・第二次世界大戦の状況と酷似している
＊我々は帝国主義に時代に生きており、中国もまたその法則の中に存在する
＊ただし中国の「対外進出」はその中心は経済的外交的なものであり、軍事的なものではない。軍事力中心のアメリカと同じ扱いをしてはならない

このように、ある対抗関係を提示することは無意味とはいえないが、後発帝国主義たる中国の「対外進出」が「経済的外交的」なものであって、アメリカとの対比で「軍事的」なものではないというのは、無規定的だと言わざるをえない。パクス・アメリカーナの地位を脅かす時代に突入しているのであるから、パワーポリティクスの視点に立てば、中国の軍拡路線は必然性を持ちうる。西へ西へとヨーロッパに至る経済圏構想としての「一帯一路」の展開にも政治・安全保障・軍拡問題がつきまとうのは当然である。(注34)

背景に、パクス・アメリカーナに執着しつつ、アメリカの過去の強さを示す自由競争と自由貿易に背を背け、保護主義と単独主義に走るアメリカとの対抗関係において、中国の対外政策の態様と特長を冷静に腑分けする分析が求め

られている。中国が東アジアと世界における「平和・反核・軍縮・自由と民主主義・環境保全」に向けて展開しうるために日本は何をなすべきかを主体的に検討し、実践する時代に入っていることの確認が求められている。すなわち、この課題解決はひとり中国だけに課せられたものではなく、日本の課題ともいうべきである。単なる観察者にとどまることは反歴史的であろう。明治日本以来の中国・東アジアへの侵略と加害の「歴史の克服」は日本国民共通の課題である。アメリカによる「中国脅威論」（覇権の交代期を迎えて新たな展開を遂げる）に追随し、ひたすら憲法改悪・戦争の道を突進する日本の現状にストップをかけるのは私どもの責任である。その主体的な歩みこそ、中国が東アジアと世界における「平和・反核・軍縮・自由と民主主義・環境保全」に向かってリーダーシップを発揮する時代を迎える保障のひとつとなるであろう。

（2）香港問題について

現在、香港で繰り広げられている事態は、筆者の視点からいえば、中国の世界における存在が巨大化していくにつれて、中国の統治方式が次第に国内基準だけでは通用しなくなり、国際的な場でも認知される新たな基準を自ら開発し、獲得していく新しい時代を迎えていることを眼前に見ていることになる。

香港は１９９７年に英国から中華人民共和国に返還され、香港が中華人民共和国の主権のもとに存在することになった。すなわち中華人民共和国の大陸14億人余と香港７５０万人とで（１９９９年にはさらにマカオ70万人が加わって）構成される国家となった（アヘン戦争以来の悲願・主権回復の達成）。その過程では、従来、資本主義と「自由と民主主義」の体制と法体系のもとで存在してきた香港・マカオの人々を迎え入れるにあたって、中華人民共和国は両地域に50年間に渡って従来の体系を存続することを認める「高度の自治」すなわち「一国両制」を保証した。これが中華人民共和国憲法下の香港に関わる準憲法ともいうべき香港基本法（マカオ基本法）である。「高度の自治」は50年という期限（～２０４７年）を持つが、その間には中華人民共和国の体制と旧来の香港の体制との差異を、双方が具体的な生活過程での対話を通じて、相互尊重と互恵をはかり、相互の妥協をも含んで歩み寄ることが求められている。これはまさに「『自治』を進めながら国の『秩序と統一』を図り、どういう国家を建設していくか」という「世界史的課題」なのである。(注35)

中国側の意を受けた香港行政当局による今回の「逃亡犯条例改定案」は、明らかに中国側の勇み足であり、「香港基本法」の精神を逸脱するものであった。それは近年、「一国両制」にあっては「一国が基本」という主張が過度に強調されるようになったことを反映したものである。それゆえ、6月以来の香港の市民学生デモは全く正当な行動なのである。香港行政当局は「同案」を完全撤回したとはいえ、市民学生が引き続き「五大要求」（①「逃亡犯改定条例案」の完全撤回、②6月12日の一部デモ隊との衝突でデモを「暴動」と定義したことを撤回する、③デモ隊の責任を追及しない、④独立委員会を設置し、警察の暴力を調査する、⑤真の普通選挙を実現する）を掲げ、行政当局の非を追及していくことも全く正当だといえよう。香港区議選でのいわゆる民主派の圧勝は香港市民の民意の表明である。中国当局がこの民意を正しく受け止めることが求められている。

香港の市民・学生は今後の運動を非暴力・平和的な対話の方式で徹底すべきである。間違っても待機する武装警察や人民解放軍の介入を招きかねないような行為を慎み、挑発勢力の挑発に乗ってはならないことも強調しておきたい。日本の世論や市民団体が香港の市民・学生の運動に支持を寄せるのは、香港問題の平和的な解決が「世界史的な課題」となっているという観点に照らせば「内政干渉」というには当たらない。その際も、香港問題の原点すなわちアヘン戦争によって英国に奪われた香港の返還は、中華人民共和国にとって主権の回復であることを常に考慮したものでなければならないであろう。

おわりに

本稿の中心的な論点は「体制規定」であり、現状観察の視点から中国の体制は「大きな政府型資本主義」と規定し、理論的な認識からは「国家資本主義」と規定している。この最終的な検証は何よりも「資本・賃労働関係」の解明と、補完的には「資本家階級」の捉え方によって支えられると考え、それなりの見解を示した。「資本家階級」の存在は見たとおり仮説の域を出ない。中国の改革派研究者の間では官僚集団とその類縁者をもって「権貴資本家」とする資本家階級概念が広がっており、日本の中国研究者も一部とはいえ、すでに「国家の私化」を軸に資本家階級の存在の仮説検証の領域に立っている。問題は「資本・賃労働関係」である。

中国における「資本・賃労働関係」を直接にテーマとして掲げる研究を筆者は寡聞にして知らない。筆者の場合は、中国の資本蓄積過程における直接的生産者からの剰余生産物の搾取もしくは収奪の存在という動かしがたい歴史的事実の側面から、「資本（この場合国家資本）・賃労働関係」の存在を検証したに過ぎない。この研究は民営企業・外資企業での実態もさることながら、国有企業とりわけ中央直属国有企業集団（央企）に焦点を当てた内在的な検証を必要とする。それには賃労働の存在の確定、賃金と利潤の財務的諸関係、労働組合を含む労働者の自発的組織の存在の有無や直接生産者・労働者と労働手段との結合の実体など、まだまだ未知の領域の調査研究課題が残されている。

『民衆にとっての社会主義』（青木書店、2009年）を著した故上原一慶は、中国の「『社会主義市場経済』化とは、国家が主導した新自由主義世界への参入であった」と指摘しながら、「伝統正規就業部門（国有企業、集団所有制企業）の正規就業は、国家に雇用された終身雇用の労働者であり、企業の主人公、生産手段の所有者であるという建前から、企業に雇用された賃労働者に転換した」と分析している。そして、中国の発展を「民衆が我がものにしていくには、政府、使用者はもちろん、党からも自立した労働者の組織が不可欠」であり、「中国の未来は、この点にかかっている」と結論している。上原は、「資本・賃労働関係」そのものに言及しているわけではない。しかし、「企業に雇用された賃労働者」という明確な表現は、その分析射程に中国国有企業における資本・賃労働関係、ひいては中国資本主義における資本・賃労働関係全体が置かれていたと、捉えるべきであろう。筆者は上原の同書に対する書評において、「上原が遺した課題提起『中国における資本・賃労働関係の分析』に微力を尽くしていきたい」と述べたが、本稿はその宿題への初期的回答となるものと考えている。

もう一点は、コーディネーター聽濤弘が「生産手段の社会的所有形態」の議論を課題設定したことに関連する。聽濤はそのうえで「生産手段の社会的所有形態」については「企業の社会的責任の度合に応じた多様な形態が考えられる。国営企業、株式会社、地方自治体所有、自主管理社会主義、協同組合（社会的企業も）である」と自らの見解も積極的に示した。この問題は中国の体制をどう捉えるかにかかわらず、中国における経済的、社会的実践として大切なことであり、シンポジストそれぞれがその歩みに対する積極的な評価を行っている（「事前パンフレット」参照）。筆者の場合は、第2章第3節「変革の担い手 社会の復権」において、井汲卓一の「新しい社会は権力の奪取によっては生まれない。権力なき新しい社会はそのような内実をもった原理を旧社会において形成しなければならない」という見解に対して、「アソシエーション」論にも共有されるような重要な理論的問題提起となっている、と評価した。「生産手段の社会化」と「資本・賃労働関係の変革」とは、聽濤弘が指摘するようにまさに多様な形態をとって、中国資本主義の「胎内」で同時的に進められるべきである。社会の復権による「生産手段の社会化」と「資本・賃労働関係の変革」とは、その途上で政治革命の時期をもつにせよ永続的過程となる。その過程は、国家への埋没でも市場への依存でもなく、社会共同体の主体的思惟と運動によって担われる。社会主義とはこのような動態そのものとして理解されるべきである。

（注）

1．林毅夫「中国経済改革：成就、経験与挑戦（紀念改革開放40周年）」『人民日報』2018年7月19日
2．渡辺利夫「中国経済脅威論を乗り越えよう」『RIM環太平洋ビジネス情報』Vol.2№6（日本総研）、2002年。そのほか渡辺利夫『開発経済学 経済学と現代アジア』日本評論社、1986年
3．野口悠紀雄『戦後経済史 私たちはどこで間違えたのか』日本経済新聞社、2019年
4．大谷禎之介・大西広・山口正之編『ソ連の社会主義とは何だったのか』大月書店、1996年
5．叶秋男「ソヴェト経済体制の性格規定とスターリン体制現出の諸要因」同上書
6．山口正之「労働の社会化とソヴェト国家資本主義」、同上書
7．大西広『現場からの中国論－社会主義に向かう資本主義』大月書店、2009年
8．大西広編著『中成長を模索する中国―「新常態」への政治と経済の揺らぎ』慶應義塾大学出版会、2016年
9．山本恒人『現代中国の労働経済 1949～2000―「合理的低賃金制」から現代労働市場へ』創土社、2000年
10．山本恒人「中国型工業化（開発戦略）への模索」池田誠・田尻利・山本恒人・西村成雄、奥村哲共著『中国工業化の歴史―近現代工業発展の歴史と現実』法律文化社、1982年
11．山本・前掲9の第1～3章
12．中国経済学会における招聘講演（2012年6月）毛里和子「中国研究 私の挑戦」報告ペーパー
13．楊継縄『文化大革命五十年』（辻康吾編・現代中国資料研究会訳）岩波書店、2019年
14．岩林彪「追悼 上島武さんを偲ぶ〈ソビエト官僚制史観〉」『比較経済体制研究』（比較経済体制研究会）№23、2017年5月。上島武『ソ連史概説―私の社会主義経済論―』窓社、1999年

15. 山本・前掲9の第6章
16. 西村成雄『中国の近現代史をどう見るか』（シリーズ中国近現代史⑥））岩波新書、２０１７年。および西村成雄「20世紀中国の歴史的政治的地層を観察すると」（シリーズ建国70周年に思う⑥）『日中友好新聞』２０１９年10月5日。西村は「党国体制」を「後発型ネイション・ステイツ」の視点から見事に解明している。
17. Leslie Holmes COMMUNISM ; A Very Short Introduction, Oxford University Press　2009
18. 矢吹晋「中国官僚資本主義体制の成立」『ICCS Journal of Modern Chinese Studies 』Vol.4（2）2012年
19. 余傑著・劉燕子編『劉暁波伝』（劉燕子・横澤泰夫訳）集広舎、２０１８年
20. 『東京新聞』２０１３年8月6日は18万件、ＮＨＫの２０１３年11月8日「クローズアップ現代」は「年間20万件以上発生している」と伝えている
21. 楊継縄『中国当代社会階層分析』江西高校出版社、２０１１年
22. 宇野和夫「中国騒乱事件の新傾向と軍隊介入の制度化」『中国研究月報』２００７年第61巻6号
23. 神野直彦「市場を民主主義のもとへ」『世界』２０１３年11月
24. 井汲卓一「変革の主体としての社会」①～⑬『現代の理論』第25巻（１９８８）10号～第26巻（１９８９）11号まで休載1回を挟んだ13回連載
25. 井汲卓一前掲書、「連載⑥」
26. 井汲卓一前掲書、「連載①」
27. 習近平「２０１６年党創立記念大会における講話」「人民日報」２０１６年7月2日
28. 習近平「党的群衆路線教育実践活動工作会議における講和」『人民日報』２０１３年6月19日
29. 梁暁声『我相信中国的未来』中国青年出版社、２０１４年

30．森川伸吾（弁護士）「中国の国家制度の憲法的枠組み」『法律文化』1999年№4（通巻189号）
31．山本恒人「【歴史随想】経済学研究と歴史の対話」『経済史研究』（大阪経済大学経済史研究所）第22号、2018年。
山本恒人「統治の正統性―建国70周年から100周年へ」『日中友好新聞』2019年10月15日
32．井手啓二「中国経済はどこへ向かうか№改革の深化と「強国化」の将来」『経済』2018年8月号
33．大西広「全人代を経た今後の中国の関係政策について」『アジア・アフリカ・ラテンアメリカ』№694、2018年5月1日
34．山本恒人「中国の『一帯一路』構想とその推進―その光と影」『研究中国』第8号（通巻128号）、2018年4月
35．丸山重威「自治と統治の難しさ問われる『一国二制度』」『日中友好新聞』2019年12月15日

中国は社会主義か

2020年6月10日　第1刷発行
2020年7月15日　第2刷発行

著　者　ⓒ芦田文夫、井手啓二、大西広、聽濤弘、山本恒人
発行者　竹村正治
発行所　株式会社　かもがわ出版
〒602-8119　京都市上京区堀川通出水西入
TEL 075-432-2868 FAX 075-432-2869
振替　01010-5-12436
ホームページ　http://www.kamogawa.co.jp
印刷所　シナノ書籍印刷株式会社

ISBN978-4-7803-1094-8　C0036

著者プロフィール（50音順）

芦田文夫（あしだ・ふみお）

1934年京都生まれ。57年京都大学経済学部卒業、62年同博士課程修了。社会主義経済論・比較経済体制論を専攻、経済学博士。62年から2005年、立命館大学経済学部に在籍し、旧ソ連・東欧・中国・朝鮮と学術交流、同名誉教授。日本ユーラシア協会京都府連副会長、日中友好協会準会員。京都労働者学習協議会会長。主著に、『社会主義的所有と価値論』（1976年、青木書店）、『ロシア体制転換と経済学』（1999年、法律文化社）。

井手啓二（いで・けいじ）

1943年福岡県生まれ。1970年京都大学大学院経済学研究科博士課程単位取得満期退学。立命館大学・長崎大学教授を経て、現在、両大学の名誉教授。中国・福州大学客員教授（2008～2017年）。主著に、『中国社会主義と経済改革—歴史的位置』（法律文化社、1988年）。共著に『転機に立つ社会主義』（世界思想社、1985年）。『中国における国際化への課題』（中央経済社、2007年）。『奥深く知る中国』（かもがわ出版、2019年）。

大西広（おおにし・ひろし）

京都大学大学院修了。慶應義塾大学教授、京都大学名誉教授、日中友好協会副理事長、World Association for Political Economy副会長、北東アジア学会前会長。経済学博士。主著に、『資本主義以前の「社会主義」と資本主義後の社会主義』、『中国経済の数量分析』、『中国はいま何を考えているか』、『チベット問題とは何か』、『マルクス経済学』、『中国の少数民族問題と経済格差』、『中国に主張すべきは何か』、『マルクス主義と長期法則』。

聽濤弘（きくなみ・ひろし）

1935年東京生まれ。京都大学経済学部中退、1960—64年に旧ソ連に留学。日本共産党中央委員会国際部長、政策委員長を歴任、元参議院議員。主著に『200歳のマルクスならどう新しく共産主義を論じるか』（かもがわ出版、2018年）、『ロシア十月革命とは何だったのか』（本の泉社、2017年）、『マルクスならいまの世界をどう論じるか』（かもがわ出版、2016年）、『マルクス主義と福祉国家』（大月書店、2012）など。

山本恒人（やまもと・つねと）

1943年北京生まれ。日中戦争敗戦後46年引揚げ。69年大阪外国語大学中国語科卒。80年神戸大学大学院経済学研究科博士後期課程単位取得退学。80年大阪経済大学経済学部専任講師。助教授、教授、特任教授を経て2014年退職。同大学名誉教授。神戸大学博士（経済学）。現在、日本中国友好協会大阪府連合会副会長。主著に、『現代中国の労働経済1949～2000 －「合理的低賃金制」から現代労働市場へ—』（創土社、2000年）。

資料編もくじ

●

シンポジウム「中国は社会主義か⁉」(19.12.21)

◇事前の提出論考

◇事前の提出論考に関する質問とコメント

【事前の提出論考】

問題の整理と提起

聴濤　弘

前提——中国はいま大きな岐路にたっている。習近平政権は従来の政権とは違う。「改革開放」政策のもとで中国が高度成長を果たし国民生活が向上したことは事実である。これは「改革開放」政策の重要な側面として積極的に評価される。同時にその間、格差拡大、汚職腐敗、労使紛争を含む各種騒擾事件、環境悪化、近年では成長減速、過剰生産が起こっている。習近平主席は汚職腐敗には大鉈を振るい国民から歓迎された。しかしこれでその他の諸問題が解決したわけではないし、習政権は「マルクス主義」の意義を強調しつつ言論統制をかってなく強化している。

こうした中国の現状をどうみるか。時局問題としてみるのではなく、社会主義とは何かということに照らしながら検討したい。

一般に社会主義とは「生産手段の社会化」と「計画経済」といわれてきた。また世間一般では社会主義社会とは政治的には共産党「一党制度」と思われている。このように常識的にいわれていることを前提にして、分かり易く今の中国をどうみるかを検討したい。

1）最初に市場経済について

市場を排除した計画経済は行き詰まりソ連体制の崩壊に導いた。ここから「社会主義成立不可能」論が広く一般化しているので、市場経済問題から中国をどうみるかを最初に検討したい。生産手段の社会化の形態以前に、これが最大の問題として問われている。

いまでは歴史が、市場経済なしには社会主義も成立しないことを証明したといえる。市場経済イコール資本主義ではない。しかし放置すれば資本主義になることも間違いない。そこでこうした視点から中国をどうみるか、それぞれの方の見解をお尋ねしたい。

・芦田氏：市場経済の積極的意味は認める。しかし暴走は許されない。「市場経済を通じて社会主義へ」の道。

・井手氏：「社会主義市場経済」論。社会主義も市場経済である（社会主義でも企業は分立的・自立的単位。市場は不可欠）。中国はまだ市場経済化が不徹底。理由：国有企業改革が未達成。

・大西氏：中国は資本主義である。機械制大工場は資本主義の生産力的基礎であるから。中国は資本主義を通ってから社会主義へいく。

・山本氏：「国家資本主義」論。国有企業の労使関係からみて。

・聴濤：市場が「決定的」（2013年　中国共産党第18回大会3中総）とするのは社会主義とは両立しない。これが進めば資本主義に行かざるをえない。市場を積極的に

認め計画経済のフィードバック（自動修正装置）として使う。

これまでの議論を深めるという観点から次の二点を質問をしたい。

・井手氏へ；「社会主義市場経済」論のマルクスとの整合性は？ (注)

・大西氏へ；国有企業の実態はどうなっているのか？　国有企業改革とはどこまでのことをいうのかも含めて。

（注）聽濤はマルクスが「生産手段の共有を土台とする協同組合的社会の内部では生産者はその生産物を交換しない」（『ゴータ綱領批判』）としているのは、現実に合わないと考えている。交換のない社会というのはわれわれが想定しえる歴史的射程では考えられない。

2）市場経済と生産力発展の論理

中国自身はなぜ市場経済優先政策をとるのか。指導部内でも市場経済か計画経済かの原理的対立から論争がおこった時期もあったが、1990 年代以降は原理論的対立はなくなった。市場経済を生産力発展の梃子として使い国民生活を向上させるという現実的立場から市場経済優先政策がとられた。

しかし生産力の発展に最も適した生産様式は資本主義的生産様式である。生産力を発展させ次の新しい社会を準備ることは「資本主義的生産様式の歴史的任務である」（マルクス）。

結果として国民生活が向上したのは冒頭に述べたとおりであるが、同時に「格差社会」が出来たのも事実である。「格差社会」とは「階級社会」のことである。若干の格差は社会主義でも起こることは、マルクスも『ゴータ綱領批判』で明らかにしている。しかし中国の格差の現状がその程度のもでないことはいうまでもない。ということは資本主義という階級社会が発展したことである（資本主義も国民生活を向上させる）。中国では「階級」という言葉は「敏感」な用語であるとして学者も避けているようであるが、正確にみたいと思う。

ところで経済成長をとげているかぎり国民は納得しているかも知れない。しかし資本主義の発展とともに国民のなかで矛盾が拡大するのは当然である。これを「人民内部の矛盾」にすぎなといえるのだろうか。

こうした現実のもとで習近平政権が「マルクス主義」の重要性を強調しているのはどういう意味をもっているのだろうか（一例：マルクス生誕２００周年記念大集会）。また他方で言論統制をかってなく強化しているのをどうみるか。「言論には言論で応える」(言論の自由）は、社会主義の当然の原則であるが。どなたでも発言したいかたはどぞ。

3）所有とはなにか——生産手段の社会的所有形態について

国有化と集団化（農業）だけが生産手段の社会的所有形態であるとするのは誤りである。これはソ連の経験からだけではなく、マルクスですらさまざまな形態を述べていた。

そこでまず理論問題として所有とは何

か、について考えたい。生産手段を「持つ」という法的側面より、労働者の労働へのモチベーションを高めるうえで生産手段をどう使うかの「決定権」のほうが重要であると考える（置塩理論)。

こうみた場合、企業の社会的責任の度合に応じた多様な形態が考えられる。国営企業、株式会社、地方自治体所有、自主管理社会主義、協同組合(社会的企業も)である。

中国は私企業（規模の大きなもの)・外資系企業を含めた混合経済体制であるが、将来的にはどう考えているのか。中国指導部はどういう方針を持っているのか。

以上の諸問題についてパネリストはどう考えられるか。

・芦田氏：「株式会社・社会主義」論。「アソシエーション」論というのがあるがそれをどうお考えか。

・井手氏：主として中国の考えをお尋ねしたい。

・大西氏：所有における決定権の重視。「株式会社・社会主義」論。平等という社会主義の原則に照らして大株主の株をどう分散させるのか。

・山本氏：　？

・聽濤：主導的形態をいま規定するのは困難。社会主義とは国有化を含めた多様な形態が存在する社会。国家は死滅するが当面はなお必要。結果を見越して、それをいま始めるわけにはいかない。

・農業の集団化はマルクス、エンゲルスにまで遡って再検討すべき。ソ連、中国を含めて「社会主義」といわれた国で集団化はどこでも失敗している。

4)「曖昧な中国の良さ」という議論について

中国との友好を念じている方々のなかにこの考えはかなりある。資本主義か社会主義か曖昧である。市場経済か計画経済か曖昧である。相当大規模な私企業も国有企業も許容する等々。全体が曖昧であるが、そこが中国の良いところであるという議論である。その論拠づけとして中国は「悠久な国」である、あるいはマルクス主義の「創造的発展の過渡」にある国であるからということをあげる。したがって結論を急がないのがいいとする議論である。この議論をどうみるか、お尋ねしたい。

聽濤はそれぞれが一定の見解は持つ必要があると考えている。一致点がえられなくとも。いま中国は世界情勢をみる場合の要になっている。だからこそ今日のシンポもおこなっている。

5)官僚層の形成と支配体制の問題(共産党一党制問題を含む)

「清廉な官僚」は必要である。国家行政に精通した専門家（官僚）なしには国を運営することはできない。問題は官僚層という特別な階層が形成され、それが民衆の上に立ち支配するようになることである。さらに官僚の主要部分は共産党員で固められた共産党「一党制」の社会になることである。これが社会主義のあるべき姿に反することは明白である。国民が社会主義を「嫌悪」するもっとも大きな要因はここにある。

社会主義社会の組織論はマルクス主義

の「空白」部分であるといえる。マルクスはパリ・コンミューンの経験から吏員（官僚）のありかたの４原則を挙げた（選挙で選出、解任できる、労働者なみの賃金、既得権・交際費の廃止)。しかし社会をどう組織するかは語っていない。レーニンも革命前は万人が官僚になるので、したがって官僚のいない社会ができるといい極めて楽観的であったが、革命後は旧官僚に高い給与を払って活用せざるをえなくなった。この分野は、われわれ独自の研究が必要である。

そこでなぜ「２０世紀の社会主義」はそうなったのか、現在の中国はどう考えているのかお尋ねしたい。

・芦田氏：民主主義と社会主義の関係についての考え。

・井手氏：民主主義が不足している。

・大西氏：司法にも共産党が介入可能な政法委員会の存在をどうみるか。

・山本氏：中国の国家と民衆との間にある「社会」のひ弱さ。

聽濤：組織論の独自の解明の必要性。特に権力のチェク体制の確立。

6）対外路線からみた中国

ここから話題をかえて中国の対外路線の問題に移りたい。國際経済問題として「一帯一路」構想、多国籍企業の展開、米中貿易摩擦、、軍事的には核軍拡を含む軍事力の一層の強化、南シナ海問題、さらには開発と軍事とが絡んでの北極海、アラスカ、宇宙での米中覇権抗争など中国の進出は世界的規模のものになっている。今後の世界をみる場合、中国が決定的比重をもつのは明瞭である。

このことについての理論問題はどこにあるか？　資本主義の不均等発展の法則のあらわれであるという点である。さらに指摘しておかなければならないのは、大国主義のあらわれがみられるという点である。

例えば社会主義であれば凶悪兵器（核兵器）の禁止、世界の軍縮へのイニシアチブを発揮すべきである。どの国であろうと宇宙での軍事的覇権抗争などは許されるものではなく、それを禁止するための全世界の世論を喚起するイニシアチブを先頭を切って発揮すべきである。中国は「覇」を競うことはしないというが、こうしたイニシアチブをとらないところに社会主義の精神からの逸脱があり、中国大国主義のあらわれがあるといわざるを得ない。大国主義・大国覇権主義は社会主義と両立しない。パネリストのご意見をお尋ねしたい。

参考までにいうと１９５６年にスターリン批判がおきたとき毛沢東指導部はスターリンには大国主義の誤りがあったとしたうで次のように述べていた。

「一つの党あるいは一つの国が革命の事業のなかでえた一連の勝利が、人々に一種の優越感をおこさせるのも避けがたいことである。だからこそ、大国主義の傾向を克服するには、系統的な努力をする必要がある。・・・われわれが特別心にとめる必要のあることは、わが国が漢，唐、明，清の四代にやはり大帝国であったということである。わが国は、１９世紀のなかば以後の百年のあいだ侵略され半植民地となったし、現在も経済、文化のおくれた国である

けれども、しかし条件がかわったのち、大国主義の傾向は、もし努力して防がないなら、必ずや重大な危険となろう。そして、指摘しなければならないことは、当面このような危険が、われわれの一部の働き手のあいだにすで芽ばえはじめていることである」（論文「ふたたびプロレタリアート執権の歴史的経験について」）。

レーニンは晩年、ソヴィエト・ロシアはまだ若いので「非常な早さで生産力を発展」させ「巨大な力」を発揮するまでにはいたっていないが、「全世界の勤労大衆がわれわれに寄せたほかならぬ共感と支持」によってもちこたえることができたと述べたことがある。「巨大な力」をもつ中国がわれわれが心からの共感と支時を寄せることができるような対外路線を推進することを期待したい。

まとめ

このシンポは結論をだすものではない。ただまとめとして以下のことを述べることは可能ではいか。

中国の現状をどう規定するかでは意見は一致していない。ソ連・東欧諸国も改革をおこなおうとして失敗したが、中国はその改革次元では捉えられない大きな改革をおこなってきたし、今後その社会主義的成功を願うものであるという点では一致できるのではないか。

また社会主義を具体的に論じる場合、マルクス理論を再検討しなければならないところがあることも事実である。特に市場問題についてである。しかしマルクスが同じ共産主義社会であってもその「低い段階」は複雑な過程を経ることを解明している意義は確認できるのではなかろうか。

中国の対外路線については意見が一致した。これは日中友好を自主的にすすめるうえで重要なことだと考える。

（2019年9月記）

「21世紀・社会主義」のあり方

芦田文夫

1）問題意識

聽濤「問題提起」にもあるように、社会主義をめざす途において、「市場経済（その利用と制御）」の問題と「自由・民主主義」の問題は、どのように位置づけられるべきなのかが問われている。「20世紀・社会主義」（ソ連・東欧）で、社会主義の刷新が「市場経済」の導入による「経済改革」として試みられたが、結局は中途挫折して資本主義への体制転換に終わった。いま先進資本主義諸国でも、「市場経済」と「自由・民主主義の発展」をつうじる社会主義への途が、ほぼ一般的に合意されているようである。しかし、この二つの問題軸の相互関係如何を尋ねていくと、理論的にも実践的にも残された課題は多い。

私は、中国経済を専門に研究する者ではない。これまで主として「旧ソ連・東欧」について、「20世紀・社会主義」における「市場経済」導入の問題を、「自由と民主主義」の発展と関連づけながら研究を続けてきた。そこで得られた教訓から、「21世紀・社会主義」の在り方について若干の問題提起をおこないたい。それに関わる中国の状況をご教示いただき、論議が深まれば幸いである。

2)「市場経済」化と「民主主義」— 課題枠組みの展開

旧「ソ連」で1930年代いらい形成されてきた「国家」による一元的な所有・計画・管理の方式が、60年代頃から「内包的経済発展」の段階（労働力や投資の量的拡大にたよる「外延的」方法とは違って、技術革新や質の向上が求められる）に達すると成長のダイナミズムを失い、市場経済の導入（「経済改革」）によって企業や労働者の「自主性」と「効率性」を高めていく措置をとらざるを得なくなった。

それのプロセスは、どこにおいてもまず「生産物の市場化」の段階（いわゆる「第1段階」）から始まっていった。ソ連・東欧では60年代半ば、中国では78年末「改革・開放」。労働者や企業が生産した生産物が賃金や利潤（生産費用を越える剰余）として分配されていくときに、それぞれの活動が良いか悪いかによって差をつけていくようにするのである。たしかに、それはこれまで「国家」＝「社会的所有」の指令的計画の下で一枚岩的に覆われていた「経営」（企業集団）と「労働」（個人）の機能を蘇生させ自立化させていくことになった。それは、分権化へ向けての民主化の一歩をふみ出すものとして、一般に積極的に評価された。

ところが、その剰余を利用していくさい企業の自主性に委ねられる部分が増えていき、それが賃金にだけでなく企業が自主的におこなう投資（生産手段の拡大）にも廻してよいということになっていくし、生産された生産物の良し悪しはそれぞれの資本の自立的効率的な利用の仕方いかんにも依存してくることから、「生産手段（生産要素）の市場化」にも必然的に及んでくるようになる（第2段階）。ソ連・東欧では80年代、中国では92年「社会主義市場経済」。すると、これまで「社会主義論」の支柱と考えられてきたものとの整合性が、いちだんと深いところで問われるようになってくるのである。生産物（フロー）だけでなく生産手段（ストック）の配分にまで企業が関わるようになることと「中央計画化」との関係、自立性と効率性にもとづく企業の「経営」行動と「国家的所有」との関係、所得の分配における非労働的要因（資本）と「労働に応じた分配」との関係、などの問題である。なによりも大きいのは、所得の分配の次元だけでなく労働—生産過程の次元においても生じてくるようになる、生産手段・生産要素（「資本」）の自主的効率的な利用ということと人間労働との間でのある対立・矛盾の問題であった。資本主義の下では、資本の価値増殖が主要な目的になり動機となって（利潤第一主義）、そのすべての方法が労働者の犠牲においておこな

われ、資本の搾取と支配のための手段となる（「資本主義的蓄積の一般的法則」『資本論』）。社会主義を志向するばあいには、当然この関係が逆転したものにならなければならない。人間労働が主導的な位置に座り、資本を主体的に制御していかなければならない。しかもそれは、企業（組織）が国家の上からの指令的な計画管理の下に置かれていた旧「20世紀・社会主義」の枠組みからは脱却したものでなければならない。「自立した諸個人―そして同じく自立した諸集団（企業や地域、組織）」の下からの「アソシエーション（協同）」という原則が貫かれていくような、新たな「21世紀・社会主義」のあり方が求められてくるのである。

3）20世紀「コーポラティズム」型民主主義の枠組み

このような20世紀と21世紀の世界史的な段階の違いという視点にたつとき、あらためて20世紀の大半を覆った「国家から企業へ」という枠組み、しばしば「コーポラティズム」（協調組合主義）型とも称されるもとでの民主主義の展開の特徴に留意せざるをえないのである。

19世紀から20世紀の境目にかけて、「資本が独占的となり・国際的となった」（レーニン、大月書店版全集21巻350頁）新たな「帝国主義」の段階を迎え、資本の危機が第1次世界大戦―大恐慌―第2次世界大戦へと体制の存亡にかかわるところにまで深刻化し、国家による市場経済への介入が起こる。ケインズ主義的な財政・金融による「マクロ経済規制」と「福祉国家」（「完全雇用」・「社会保障」）の試みが生まれ、後発資本主義国ではファシズムが台頭する。1930年代以来のスターリンによる「国家」を頂点に立てた上からの一元的な所有・計画・管理の「20世紀・社会主義」体制も、資本主義の側からのこの促迫に権威主義的に対抗していくという性格を色濃く帯びていた。

「ニュー・ディールははじめから専門家による計画と集権的な運用とを予定していた…。民衆の利益関心を管理することによって、民主主義運動を解体した」（福田歓一『デモクラシーと国民国家』岩波現代文庫、58頁）とされる。この枠組みの下での第2次世界大戦後1960年代の高度成長の経済的メカニズムについては、「レギュラシオン理論」が説くような市場経済に対する社会の側からの調整の制度（その5つの制度諸形態―「賃労働関係」「競争形態」「貨幣制度」「国家」「国際関係」）が特徴づけられるであろう。その中心に座るのが「賃労働制度」で、生産工場ではテーラー主義的労働・生産編成による搾取の強化があり、それが「生産性インデックス賃金」にもとづく利益配分や福祉国家の完全雇用・社会保障などによって国家の介入の下で調整・妥協させられていく。それが基軸となって生産財部門と消費財部門、大量生産と大量消費の好循環（「内包的蓄積体制」）、高度経済成長がもたらされていったとするのである。

1960年代頃から「20世紀・社会主義」においても、もっぱら「内包的経済発展」のために上から国家が企業に対して「市場

経済」の導入を図っていく、という第1段階の経済的メカニズムがもつ対蹠的な共通性を指摘しないわけにはいかない。けれども1970年代以降、その枠組みは「スタグフレーション」、財政赤字、投資乗数効果の低下と「政・官・財癒着」などの諸条件のなかで、破綻をきたすようになる。それと共に、西側でも東側でも、「市民」を中心とした「新しい社会運動」「連帯運動」が叢生してくることになる。「20世紀・社会主義」の市場経済化の第2段階は、まさにそれと重なって展開されていくことになるのである。

4) 民主主義的変革と「国家資本主義」概念

市場経済化[第1段階]での中国の特徴にふれる前に、一つだけ論点として出しておきたいことがある。それは、社会主義化が目指されるまえに、「新民主主義」(1949年～)の段階があり、労働者・農民・小資本家・民族資本家が連合して執権、なによりも経済の復興、封建的地主制度の廃絶と土地改革、そして外国資本や国内官僚資本の大企業を接収して社会主義的国営企業がつくられたが、「民間企業の国有化と農業の社会化は遠い将来の話し」とされていた。それが朝鮮戦争を経るなかで「資本主義から社会主義への過渡期」の総路線(53年)に急転換し、「10年ないし15年で社会主義化を完遂する」という「ソ連型社会主義」(重工業優先の工業化、国有化と集団化、中央集権的な行政的計画管理制度)の途に進むようになる。

その点では、旧ソ連のばあいも、1917年「10月革命」は、労働者と農民の執権(「革命的民主主義的国家」)をうちたてたが、変革の社会経済的内容では「ブルジョア民主主義的課題」の解決に取り組むことになる(地主的土地所有を廃止して農民の平等な利用にゆだねる布告, 8時間労働制・有給休暇・医療無料化などの社会保障制度・教育無料化制度にかんする布告、など)。経済的次元における変革は，政治権力を固めるための若干の重要拠点—銀行や軍需産業などの国有化の他は，広範な私営商工業に対しては「上から」と「下から」の統制を与えていくという「過渡的な国家資本主義」の政策であった。プロレタリアートが指導勢力となり，政治権力の性格としては社会主義革命(あるいは社会主義をめざす革命)であるが，社会経済的内容としてはブルジョア民主主義革命であるとされた。しかし，まもなく始まった「干渉戦」「国内戦」とともに「過渡的な国家資本主義」は短い「8ヶ月」で終わりをつげ，「戦時共産主義」期には国家による全一的な統制と管理の軸だけが全面に座るようになる。だが再び、「ネップ」によって元にもどる。それは，資本主義を含む多様な経済制度を認め，市場経済の利用を基礎にして，労働者・農民や企業の自主性・創意性を引き出し，対等平等な契約関係に置いて競争していく，それらに対し国家の側から規制と誘導を与えていく，という現在の「経済民主主義」にも通じるメカニズムであった。

大西説とも関わって、このような「国家資本主義」概念をどのように理解していくか。執権の性格が基本的に変化し、社会経

済的構成が全体として利潤原理ではなく「社会主義に向かって」運動しはじめる体制を「資本主義」と称することには疑問をもつ。

5）中国の特徴—市場経済化と「多様な社会的制度」との調和

市場経済化[第1段階]の中国の特徴であるが、「改革開放」（1978年～）は社会の基層をなす農村部から始められ（「農家経営請負制度」）、84年頃から重点が都市部に移されていって、ここでは旧ソ連などとほぼ同様の経緯を辿る。対外開放は、まったく異なった国際諸条件の下で、「点から—線—面へ」という漸進的なし方で、外資を重要な起動力に取り込みながら進められた。「増量的方式」と称されるように、既存の旧制度の存在をも重視し、それとの調和を図りつつ、より多数の人民大衆の自覚と支持、社会的基盤全体とのつながりに留意されてきたといえる。農村部には、先資本主義的なものを含む伝統的共同体的な要素が広範に残存し、そこには活発な局地的市場圏が形成され、「包」（人と人との間の広義の請負関係）的な重層的な社会秩序、職住一体の家族制小社会、膨大な郷鎮小工業、かなり自律的な地方政府が存在していた。

この点では、旧ソ連などとは全く違っている。ロシアでは1930年代以来の集権的国家化の長い過程のなかで、このような社会的基層はほぼ解体されてしまい、市場経済化が「国家から企業へ」といういわば波頭だけのものとして裸同然で下降させられていくことになった。中国が相対的に成功を収めたとされるのは、市場経済化の「フォーマルな制度」と並んで、既存の伝統的社会の「インフォーマル（非公式）な制度」の考慮に因るところが大きいと指摘されてきた。なによりもそこでのインセンティブ、自発性を最大限に引き出していく。例えば、工業と農業の接点をなすような郷鎮企業は、集団的所有であるが利潤最大化によって経営され、ハードな予算制約をもち、激しい企業間競争をおこなう。中国での社会全体の制度設計の特徴は、下からのボトムアップ型で、それをトップが厳格にコントロールして成功的でない実験を排除していく、と云われたところにある。

「曖昧な中国・曖昧な制度」をめぐる問題も、この伝統的社会の「インフォーマル制度」に関わってくるものと考えられ、改革の第1段階では積極面をもっていたものが、第2段階へのいっそうの飛躍にとっては反対に解決を迫られるより厳しい矛盾として問われてくる、というように発展段階にそくして社会構造全体のなかで位置づけていく必要があるのではないか。資本主義の下での市場経済化は、その他のあらゆる社会的諸制度を競争によって一方的に切り捨てたり従属させたりしていく。そうではなく、社会主義を志向するならば、多元的で多様な制度の共生と調和的な発展がなしうるような「市場経済の利用と制御」がなされていくべきであろう。そのさい、なによりもそれぞれの自立性を尊重し、対等平等の立場での協議的な協同によって、それぞれの制度を共約化して高めていく社会経済的条件（例えば、「農民工」の賃金や労

働諸条件、農民の社会保障制度、「戸籍制度」などの全社会的な統合化）を次第につくりあげていく、という民主主義的な原則が要点に置かれるべきではなかろうか。

6)「21世紀・社会主義」と新たな民主主義の枠組み

市場経済化[第2段階]への移行をめぐっては、旧社会主義の東側だけでなく先進資本主義国の西側をも巻き込む大きな国際的論議が交わされた。「自立した諸個人→諸集団のアソシエーション」にもとづく新たな社会主義像を求めようとする世界史的段階にさしかかっていたからであろう。そのさい、東側からは旧社会主義の枠組みに固執して、「市場経済化」はもともと原理的に「私的所有」としか両立しえない、「経済改革」は砂上の楼閣だった（典型はコルナイ）、とするような見解が多くだされた。

他方で西側からは（典型はノーブやベトゥレーム）、市場経済と社会主義とのつながりを全く切断してしまうやり方を批判して、資本主義・市場経済の矛盾を克服していくという展望の側からみて、「実現可能な社会主義」にとっての市場経済のあり方として位置づけ直そう、とする見解が多くだされた。市場経済の普遍化ということを前提に、企業経営の効率的発展を保証しながら、しかしそれが生みだすネガティヴな側面に対しては労働・生活や社会の側から民主主義的な制御を加えていくという新たな枠組の探究である。その背後には、70年代頃から始まる発達した資本主義諸国における新たな路線探求の動きがあった

80年代後半以降、「旧社会主義から市場社会主義への移行」と「現資本主義から市場（をつうじた）社会主義への移行」とが重ね合わせて論じられることが多くなる。かつてのように国家権力の掌握だけが全てというのではなく、社会経済構造の下から企業・組織や個人の次元からも自立性・自由と民主主義をどのように成熟させていくのか、という共通した課題意識があったのである。

7) マルクス「アソシエーション」の枠組みを考える

そして、マルクスにたち返った掘り下げもおこなわれるようになった。その要点だけを挙げておきたい——『資本論』の要となる「剰余価値論」では、出発的な前提に「二重の意味で自由な」労働が置かれている。資本と労働の間で、「労働力」商品の売買をめぐる交換過程においては商品所有者どうしの売り手と買い手としての「自由」と「平等」の関係が原則である。他方で、「労働力」を使う労働・生産過程においては、資本家の側は買い手としてのその使用の権利を主張し、労働者の側は「正常な人間らしい」労働や生活の諸条件が充たされることを当然主張する。「同等な権利と権利との間では力がことを決する」、絶対的剰余価値の生産＝「労働時間」をめぐる闘争が起こるが、個々の労働者では無抵抗に屈服せざるをえない。そこで、「結社（アソシエーション）」「労働組合」による団結の力で、16-14時間という非人間的な労働時間を数十年かけて1時間また1時間と短縮さ

せていった。

ここに、「自立した諸個人のアソシエーション」の力によって、「資本」の搾取と支配、人間疎外を制御していく基本的道筋が示されている。その「資本家階級と労働者階級とのあいだ」での闘争は、やがて「国家権力によって施行される一般的法律」―「工場法」を引き出していって、労働時間についてだけでなく、賃金や労働諸条件、さらには義務的教育にいたるまでの「社会的諸制度」が獲得されていく。「労働権」「生存権」、「社会権」あるいは「環境権」などの「人間らしい」労働＝生活の基準（ノルム）や規則（ルール）は、社会経済的次元において民主主義を実質化していくものといえるであろう（「ルールある経済社会」）。

［なお、資本主義から社会主義への過渡期における商品生産の存在については、マルクスの「人類史の３段階」（『経済学批判要綱』）のような長い視野のなかで、その生成だけでなく消滅の過程も位置づけられるべきだ、と私は考えている。その初めの段階では、なによりもまず生産過程の次元で主体となる人間労働によって生産手段（資本）が制御されていくという逆転が起こる、（その後は具体的な展開はまだなしえないであろうが）続く段階では、個人の交換―流通と消費の次元においては具体的有用労働―使用価値―欲求・必要の側面が比重を増してくる、そして次第に労働の支出と欲求・必要の充足とのリンクが消え去るようになる（「欲求・必要に応じた分配」）、但し社会的再生産の次元では「価値既定の基礎」にある「抽象的人間労働」と「具体的有用労働」による配分は残る、その場合にも後者の要素が優位を占める。］

8）「旧ソ連・東欧」の教訓から

資本（企業）に対して、労働・生活や社会の側から「アソシエーション」の力にもとづいて民主主義的な制御を加えていくという枠組みがもつ重要性は、ソ連・東欧における「経済改革」が変質していった教訓からも学びとれるものであった。ソ連の第２段階「ペレストロイカ」においても、「利害をつうじての管理」―「市場経済の導入」という論理の軸と並んで、もう一つの「民主化と人間的要因の活性化」という論理の軸が掲げられていた。しかし、それが「国家から企業へ」という「コーポラティズム」型枠組みの下で、もっぱら「労働集団の自主管理」として追求されていった（東欧のほとんども）。その結果、市場経済化の展開とともに「経営」の自立化と効率化がさらに要請され、「経営権」がいちだんと重視されていって、「労働集団の自主管理」との“調整”が求められるようになる。そして現実には労働者の「自主管理」→労働者と経営者の「共同管理」→経営への労働者の「共同参加」へと退行していった。他方からは、「脱国家化」＝「集団化と個別化」という論理によって労働集団の場がしだいに小さく分解されていき、加えて「株式」化によって所有と経営の分離が進み、やがて「個人」に配分された「株式」の所有が売買によって容易に集中・収奪されてしまうことになって「体制転換」に至る。労働者階級や社会の側からの「アソシエーション」の力に支えられ、「労働権」「生存権」「社

会権」などの企業の枠を離れた「社会的制度」化との広く大きい連動関係がなければ、それぞれの企業や労働集団の枠組みでの自主管理だけでは、企業に対する民主主義的制御は不可能にちかい、という教訓である。

9)「21 世紀・社会主義」と民主主義の制度構築

では、「21 世紀・社会主義」における新しい制度構築をどのようにしていくのか。社会変革の実践にも裏付けられながら、様々な構想が提起され議論されてきた。いま市場経済化 [第 2 段階] を見ていくのに必要なかぎりで、細部は省いて大筋の展開の軸を取りだせば、次のような 2 つの方向からのアプローチになるように思われる。

一つの方向は、企業の経営の自立性・効率性の保証ということを中心に据えるものである。「所有」の下での企業の「経営」の相対的独自性ということが強調され、その利潤のいっそう平等な分配が目指されようとする。そして、一方からは「所有」(株主、公的・私的あるいは混合)および資本調達や金融(資本市場や銀行)をつうじて社会的な性格と「モニタリング(監視)」を強めていく、他方からはその個人の「株式」(あるいは「クーポン」、株式への引換券、貨幣では売買できず、相続もできない)の非集中化と平等化を図っていこうとするのである。もちろん、その他の多様な所有・経営形態の併存も容認される。

もう一つの方向は、企業に対するもっと広い民主主義的制御に力点を置こうとするものである。資本主義からの次の一歩として、利潤の分配、資本・資産からの所得のより民主主義的な平等化を目指そうとする上のような構想がもつ積極的な意味は評価しながらも、そこで云われる「利潤分配の制度的保証」を実際に実現していくには広範な諸階級の協同的な力が不可欠となってくる。労働者・消費者・市民などの権利と運動、そのうえに立った規制や参加の要因が重要になってくるとするのである。

いっそうの具体化は、このような 2 つの軸の交叉と連動のなかで創りあげられていくものと期待されるが、そのさいのなによりの特徴は「20 世紀・社会主義」とは逆の、自立した個人・市民の次元が起点となる次のような 3 層の「制度」構成であろう。

(1)個人のレベル

一般に「制度」とは、人と人とのあいだの相互作用と調整にかかわる規範・基準(ノルム)や規則(ルール)で、それは法令・契約など成文化されているフォーマルな制約だけでなく、伝統・慣習・慣例・道徳的規範など固有の文化や歴史に起因するインフォーマルな制約の全てを含む、とされる。「21 世紀・社会主義」のその特徴は、「自立した諸個人の平等な水平的な相互関係のうえに築かれたもの、自由な意志にもとづく結合関係およびアソシエーション」という「市民社会」型のところにある。それは制度的には権利によって保障され、ここでもっぱら検討を加えようとしている生活や労働に関わる「経済」的次元のものだけでなく、「文化」的再生産にかかわるもの(思想、出版、言論、コミュニケーションの自由)、「社会」統合を保障するもの(結社、

集会の自由)、「パーソナリティ」と社会化を保障するもの（プライバシー、親密性、人格の不可侵の保障）が分けられる。そして、そのような基準や規則が基礎となり基軸となって、それがその他のあらゆる「組織・企業」―「国家」の諸関係を繋いでいくさいの共通の媒介環として役立つのである。

（2）個人―組織・企業（ミクロ）のレベル

したがって企業にあっては、かつての国家による一元的な集権化を排除して自立性と効率性を保証しながら、他方では人間・個人が主体となって労働・生活基準の優位の下に、生産手段（資本）の実際の使用に対する制御がなしとげられていく、という制度化が肝要となろう。その企業の労働集団だけでなく、労働者階級および社会全体の「アソシエーション」による民主主義的制御の仕組みが重要となる。その下で、「所有」と「経営」の分離にもとづき、「株式」や「資本調達や金融」をつうじて、社会的公的な「モニタリング（監視)」や規制を強め、非集中化と平等化を図っていく制度化である。

（3）組織・企業－国家（マクロ）のレベル

このように社会的制度として確立されてくる「賃金率など労働に関する基準・生活保障に関する基準」――他方での「資本に関する利潤率・利子率」の相互関係によって、社会的再生産過程の骨格が形づくられてくる。この「基準率」（ノルマチフ、一定の比率の順守を規制するもので、直接に個々の大きさを下達する方式よりも自立性の拡大と結びつき易い）や「規則」（ルール）を用いた間接的誘導的な計画化は、「旧社会主義」のハンガリーなどで先導的に開拓されてきていたもので、資本主義国での財政・金融政策を民主的に変革していく経験と合わせて、制度化されていくことができるであろう。

10）「社会主義市場経済」段階での中国を評価していく論点

以上に述べてきたような論点にてらして、中國における市場経済化［第2段階］について、いま私が考えている問題点を以下に列挙するような形で挙げ、専門的な実証的研究をも拝聴して論議が深まっていくのを期待したい。問題を2つの係累に分けたい―(1)「現代企業制度の確立」と言われるもの、(2)それとも関わって、市場経済化が生産要素にも及ぶようになることが労働や生活、社会構造（なかんずく農民、地方や諸民族)、自然環境に与える影響。

（1）の係累に関して。国家の所有権と企業の経営権の分離、政府の企業への不介入などがうちだされ、やがて株式制（国有資本、集団資本、非公有資本などが資本参加する混合所有制経済、外資も）が公有制の主要なものにされていく。しかし、先進資本主義諸国に企業―産業構造が立ち遅れていることから、国際競争力を強化する「強く、優良で、大きな国有企業」「国家資本」という高度化・近代化が強調されるように

なり、むしろ 90 年代半ばからは中小企業については民営化が本格的に進められていく。管制高地となる国有経済が主導する産業分野が限定され「国進」状況が続いていたが、近年はハイテク部門の民間巨大企業と国有企業の結合「国進民進」路線がとられているようである。【問題点】巨大企業と中小企業との繋がりが、集積・集中化にともなった支配－従属関係に陥るのではなく、平等な協同（アソシエーション）的なものになっていくための制度化はどう考えられているのか。

国家から巨大企業への規制は､「基準（ノルマ）」「基準率（ノルマチフ）」と「規則（ルール）」が中心に坐るようなものになっていくべきだと考えられる。それが経済的次元における「人治から法治へ（法の規範・基準にもとづく）」の中身であろう。現在では､それに関わる全ての「曖昧な」状況が､「国家＝党の人事の一体性」によって担保させられようとしているように見える｡【問題点】「20 世紀・社会主義」とは根本的に異なる「基準と規則」にもとづく計画と管理の制度化がどのように展望されているのか､国有大企業（あるいは国有＝民有連携）の従来方式による掌握・運営でやっていけるのか。

（2）の係累に関して。生産手段の市場経済化が新たに引き起こすようになる矛盾については、問題の在り処としての提起はなされてきていると思われる。格差の是正、調和的な経済発展､労働や生活の質的向上、環境改善、農民の同権化、地方の開発、統一市場の形成、などの諸問題である。しかし、それらを解決していく新たな民主主義的な方策、なかんずくその制度化についてはまだこれからの課題として残されているように考えられる。

「21 世紀・社会主義」における民主主義的制御の在り方は、中長期の接近を必要とする大きな問題であることは解る。中國の実証的調査を読んでいると、公式の政策化を骨抜きにするような現場の行動との落差にしばしば驚かされる。それには先の「曖昧な制度」に関わる問題も介在していて、むしろ「抽象的な改革構想」との間に存在する現実の客観的構造の重さにこそ「実現可能な改革」の手掛かりが見出せるのであろう。だが全体をつうじて、このような矛盾した社会構造の総体がどのようにリアルに認識されているか、そのなかで改革の理念と方向性がたえず堅持されているかどうか、それが要石となってくると考えるのである。【問題点】市場経済化に対する労働や生活、社会の側からの制御の制度化について、どのように考えるか。

11)「社会主義を志向する国でなくなった」と云えないが

そのような視点に立って見るとき、第 2 段階初めの 20 年間ほどは民主主義的制御の前提条件が創りだされていく積極的な方向が見られる、と私は評価していた。例えば、2006 年「調和的経済発展」戦略による格差や環境への考慮であり、それは「戸籍制度」に象徴される「農民」の権利に関わる改革であり、その「社会保障制度」の同権化への方向とも結びついていた。重要

なのは2008年「労働契約法」「労働争議調停法」であり、従来の恣意的経営を規制し、労働者の権利が認められ、現実にも労働争議（賃上げよりも契約の変更・解約・終了・継続に起因するものが多い）が急増していたと云われる。非正規雇用の制限にも着手せざるをえなくなっていた。

そして、これらの背後にあったイデオロギー状況である。私が読みえた論文（兪可平『中国は民主主義に向う（共産党幹部学者の提言、胡錦濤ブレーンと言われる）』2009年、かもがわ出版）によっても、さすが「21世紀・社会主義」を目指すと瞠目するような内容が伺われた――「第1章、人権と民主主義」は、マルクス・エンゲルスの「自由人の連合体」という原理から始められ、人間の尊厳・自由・平等は人類の普遍的な価値であり、人権（基本的政治的権利と社会的経済的権利）は個人が国家に対して要求するもので、民主主義とは「人民の統治」である。マルクス主義の根本命題は、①「全人類の解放」と「各個人の発展」、②人間の「自由な発展」、③人間の「全面的な発展」、④人間の自然的資質・社会的資質・精神的資質をともに高め、同時に人間の政治的権利・経済的権利・その他の社会的権利の実現にある、とされていた。もちろん、その後の章では「中国の特殊性」が付け加えられ、先述の「増量式改革」などが挙げられていたが、明らかに基調は「自由と民主主義」の普遍性に置かれていた。

ところが、2008～9年のリーマン・ショックの後、2012頃から変化が起こり始めたのではないかと危惧している。上述の大企業の国際的競争力の強化をいっそう加速させる、世界の最前列に伍しうる国力に引き上げる（15年ほど前倒しで）、という戦略目標が強調されるようになった。2014年「新常態」以降の政策化については、詳細は他の報告にお願いするとして私なりの理解で記すと、いわゆる「強国化」路線の下で―「科学技術創新」―「産業構造の高度化」―「大企業の官民連携」―「消費の高級化と多様化」「産業・生活のインフラ整備」、そして対外的には「一帯一路」と、辿ることができるように思われる。【問題点】なによりの問題は、基礎であり基軸であるべき人間主体の労働や生活、社会の側からする民主主義的制御の制度化の課題が脇に置かれるようになってきているのではないか、多様な社会的諸制度との協同と共生の民主主義的原則が（国内的にも、また対外的にも）影を薄くしてきているのではないか、ということである。だが、いまこそ国家の枠組みをも超える「アソシエーション」が必要とされる世界史的段階にきているのではないか。

もちろん、これは私たちをも含めた中長期を要する未踏の課題であり、中国での短期の局面の変化だけをみて「社会主義を志向する動力が基本的に無くなってしまった」と評価するのはまだ短絡に過ぎる、と私は考えている。これまでからも中国は現実の事態に即して修正や改善を加えながら、よい意味での実証主義的試行を繰り返して進んできたように思う。持続可能な「内包的発展の新常態」も、民衆が主体に座るような「内需」の新しい質に根ざしてのみ可能となることが、やがては明らかになってくるに違いない。

中国の今をどう見る

井手啓二

はじめに

中国の高成長と躍進が続いている。2007年以後、中国は、量的に見れば世界経済発展の最大の牽引者であり、2020年代にはアメリカを抜き世界最大の経済体になるとみられている。しかし、中国は、なお中進国水準にあり、2035年に近代化の基本的達成、2050年前後に先進国の中位水準に到達するというのが自己診断である。中国経済の今は、投資・投入主導型成長から、質と効率向上を基軸とする持続的安定的経済発展（内需・消費主導型成長）への転換を進めている途上にある（「転型期」とされる）。今後10年前後でいえば、5～8％成長は持続するとみている。苦境も成長も続く。現在の成長下降圧力の正体はじめ米中貿易紛争の最中にある中国経済の現況については2019年執筆の別稿があるので、ここでは省略させていただく。

1）社会主義と市場経済

中国は、1992・93年以後、市場経済を前提とする社会主義＝社会主義市場経済化路線を採択した。これは、過去の経済学理論や社会主義論に反する主張であるから、今日まで多くの論議を呼び、今なお理論界は混乱状況にある。中国の現状は、自由と民主主義、基本的人権保障などの点で実に多くの問題を抱えているので、中国をめぐる議論はさらに混乱・紛糾することになっている。

私は最近、中国の過去70年について次のように感想をのべた。

「——経済学から見た人民中国の70年——

この40年余の中国の発展は驚異的であり、国民生活の向上は目覚ましい。

なぜ中国の経済成長や生活向上がかくも急速なのか、社会科学・経済学は答えなければならない。だが、この責は果たされていない。理論界の混迷のためである。

原理論レベルの混乱もあるし、現状分析の不備もある。日本人の多くは、この40年余の中国は資本主義に向かっていると理解している。先進国と違う点は、共産党の一党独裁下でそうしているとみる。

これは資本主義化と市場経済化とを区別できないためである。それを遡ると、経済学の誤りにたどり着く。いかなる経済学でも、社会主義は市場経済と無縁のものとして考えられてきた。この誤りがいまだに払拭されていない。

左派であれば、マルクス社会主義論のもつ不備あるいは誤りの認識に欠けている（私は、マルクスは最高の経済

理論家と今でも考えているが、間違いもある)。

旧ソ連・東欧の社会主義は、経済制度の根本においては、マルクス理論にもとづき、協議(アソシェーション)社会の実現を目指したのであった。だがそれは、行政管理型社会主義となり、自滅するほかなかった。

大国主義、覇権主義の故にそうなったと考える向きがあるが、それが主たる原因ではなく、マルクス理論に従い、社会主義経済制度を商品・市場経済の廃止と考えたためである。

毛沢東時代の中国が成果に乏しかったのも同じ理由である。地獄への道は、いつも理想主義の善意で敷き詰められている。大切にすべき歴史的経験である。

中国のこの40余年の発展の最大の原因は、社会主義の伝統的観念から脱却し、生産力・国力・生活の向上をもたらさない制度・政策は社会主義ではない、と考えを転換し、社会主義市場経済化に踏み切ったことにある。

マルクス理論が明らかにしたように、最大の生産力は、人間であり、その能力を高める社会が最高の発展を実現できる。この40年余の中国はこの点で間違いなく成功を収めている。

中国の今は、言論·思想の自由に欠け、軍事力崇拝の誤りがある。これは伝統的・ソ連型社会主義の観念の束縛、そして歴史的発展の制約のためであろう。この克服が今後の中国の大きな課題である。

ともあれ、旧ソ連・東欧は、国家資本主義であった、改革・開放時代の中国は資本主義にむかっていると理解するのは、私には現実と理論の歴史を無視した乱暴きわまりない議論にみえる。社会主義市場経済化・混合経済化を進める中国は今後もますます発展を遂げ、世界を驚かせ続けることになろう。」(「日中友好新聞」2019年8月25日号)

ところで、私自身は、中国が社会主義市場経済化路線を採択する以前から、社会主義市場経済化が21世紀社会主義の方向であると主張してきた。1991年10月の経済理論学会全国大会共通論題報告で、「東欧、ソ連の新政権は、資本主義化を志向しています。他方、中国、ベトナムなどの社会主義国では、経済体制改革と対外経済開放政策を継続しているものの、市場メカニズムを前提とした社会主義的計画化という考え方に至っていないことも明らかです。したがって、私が言う市場メカニズムを前提とした計画化に対応する現実はなく、現在のところいささか現実離れすることになります」と述べた。しかしその1~2年後に、中国が急転したことは周知のとおりである。

中国社会主義市場経済化について私がこれまで主張してきたことは、次の諸点である。

1. マルクスの社会主義論は、基本的な点で誤りを含んでいた。最大の難点は社会主義を商品・市場経済の否定として捉えた点にある。マルクスは、①社会主義を人によ

る人の搾取の廃止、②社会が経済を意識的に制御する社会として捉えたことは正鵠を得ているが、③社会主義を、アソシエーション、協議連合社会として即時的に実現できると理解したことは、マルクス理論を下敷きにした後続の実践を誤らせることになった。すなわちロシア革命およびそれに続く東欧、中国などの社会主義をめざす国々では、私的所有の廃止、市場経済を排除した中央集権的行政管理的計画化の実行に帰結した。近代経済学でいう「命令経済」(command economy)、マルクス経済学でいう「指令システム」あるいは「指令・割り当てシステム」の実現である。この協議経済システムは、人々の創意の発揮を妨げ、非効率的経済に帰結し、生産力の発達、生活水準の向上、自由と民主主義の発展を抑圧する結果を招き、自壊するほかなかった。

2．上の欠陥は、ソ連、東欧、中国などで次第に認識され、①理論面ではマルクス社会主義論の批判的再検討　②実践面では、中央集権的行政管理的システムの改革の動きを生じさせた。

理論面では、商品生産、市場経済は、①社会的分業　②私的所有のもとで生ずるとする従来の理解は不正確で、②は経済単位の分立性とすべきという理解にいたった。実践面では、東欧とりわけ、ユーゴスラビア、チェコスロヴァキア、ポーランド、ハンガリーでの注目すべき改革経験を生み出し、その成果は結局、中国が受け継ぐことになった。1992・93年に中国は、①社会主義は、市場経済と両立する。②社会主義は、私的所有の全面排除を要しないことを明らかにし、市場経済を前提とした社会主義の追求路線に抜本的に転換した。ここに社会主義観念は根本的に転換され、共同富裕と社会的公正、人間の全面的発達を目標として、生産力、生活水準、国力の向上に役立つものはすべて肯定される方向となった。

3．1978年以降、とりわけ1992・93年以後の中国が、世界でも注目すべき経済的躍進を遂げたのは、上の社会主義観念の転換にもとづく政策・制度の自己革新能力の向上によるとみることができる。中国社会主義は全ての面で根本的転換を遂げたわけではない。旧来からのイデオロギー的制約ないし束縛は依然濃厚である。中国は貧困の撲滅、経済発展の追求には懸命に取り組んでいるが、基本的人権の拡充、平和と自由と民主主義の追求には必ずしも熱心ではない。領土問題、軍事力問題ではひどく遅れた観念にとらわれている。歴史と文化による束縛が大きい。今後の中国の克服課題である。その意味で社会主義の再生はなお途上にある。理論面でもマルクス社会主義論の再検討は不十分で、マルクス社会主義論に問題があるとする主張は中国では稀れにしか見ることができない。

以上3点が私にとって、中国社会主義市場経済化を論ずる前提である。次に問題になるのは、中国はどこまで社会主義市場経済化を進めてきたのか、現状をどう見るのかというテーマ、すなわち現状分析に関わる問題・テーマがある。

中国の現在の自己主張は、①中国は現在

もいぜん発展途上国である。②市場経済国としての地位の国際的承認を求める、である。①の理論的裏付けは、社会主義初級段階論（1997年）であり、現在の3段階発展論（2020、2035、2050年目標）である。②の理論的裏付けは、社会主義市場経済化の進展水準に関する諸研究である。中国の市場経済化は21世紀初頭で40～60%、2017年現在で60～70%水準とみられている。労働力、金融、土地すなわち生産要素市場の形成はなお途上と認識されている（拙稿、2017年参照）。

社会主義市場経済化を議論するとき、いくつか論点がある。市場経済の魂、あるいは市場経済の核心は経済単位間の公正な自由競争である。自由競争は弱肉強食のメカニズムでもあり、必然的にその自己否定、すなわち寡占・独占による自由競争の自己否定を生み出す。資本主義の下で自由競争を確保することは極めて難しい。社会主義の下ではどうか、という問題がある。社会主義をめざす政権が成立した場合でも、経済単位間の公正で自由な競争を保障することは簡単ではない。とりわけ異なる所有形態の経済単位をどのように扱うかという問題が生ずる。それは結局、社会の価値観念、文化によって決まる。

中国を、国家資本主義、官製資本主義、資本主義への移行経済とみるさまざまのヴァリアントをもつ見解がある。他方では、一党独裁社会主義、権威主義的社会主義など歪曲された社会主義、あるいは「革命後の社会」（P．スィージー）とみる見解がある。

前者については、論者それぞれの、資本主義、社会主義の定義を明らかにしなければ生産的議論にはならない。少なくとも資本家階級の存在・形成を明らかにしなければならない。また、①社会主義をめざす政権が、革命的変革なしに資本主義に変質したことを論証するか、②社会主義を自称しているが、実は社会主義では元々なかったという論証をしなければ議論は成立しない。この線での説得的議論はできないと私は考えている。

後者については、一党独裁、権威主義的など政治的歪曲の発生根拠や是正の条件を政治学的に明らかにしていかなければならない。現実的には大事な論点であるが、私は不適任なので差し控える（私は、中国は党国社会主義という理解であるが）。

2）私は、なぜ中国を社会主義と考えているのか？

＊社会主義をめざす社会的勢力が1949年以来政治権力を掌握し、その権力が社会主義と考える（その内容・目的は変化しているが）政策（目的）を追求し、計画的経済運営を実施してきている。計画的経済運営の歴史は13次に及び、現在は14次5ヵ年計画（2021～2025年）を準備中である。また数多くの領域（教育、科学技術、国土、農業、健康など）における中・長期計画が策定されている。計画的経済運営は、一定規模の社会的所有あるいはある規模の経済的資源が社会（国家）の手に掌握されていなければ実施することはできない。

（ある発展段階―1930年代以降の資本主義経済が「管理経済」あるいは「混合経

済」、「2重経済」と呼ばれてきたように、資本主義経済のもとでも（また戦時経済の下でも）社会・国家によるある程度の経済の制御が行われているが、一定規模の社会的所有が存在しなければ、主要経済意思決定を、社会が行うことはできない、と考えている）。

（政策目的）工業化、4つの近代化、富国強兵、共同富裕、科学技術創新立国……

＊過去70年で最大の変化は、約40年前からの伝統的ソ連型社会主義観念からの離脱で、生産力と生活の向上・富裕をもたらさない政策・制度は社会主義的ではないと考え、市場経済に基づく社会主義路線を採択したことにある。社会主義観念は大転換した。この大転換の基盤は、大躍進、文革と20年に及ぶ深刻な負の経験である。階級闘争至上主義は、経済を破壊し、中国社会を崩壊に追い込んだ。

今の中国人にとり社会主義とは、共同富裕と社会的公正の実現、人間の全面的発達の追求と理解されている。国民の不満は、住宅、医療制度、格差に集中し、知識人は言論・集会の自由、管理の厳しさに集中している。

＊中国社会が、自由と民主主義の拡大をもたらさない政策・制度は社会主義的ではないと考えるようになれば、中国社会主義の伝統的社会主義からの離脱は完成するが、旧来からの政治的観念はなお根強い。それは中国社会の前近代性に根をもっている。低かった教育・社会化水準、官僚制と権威主義の伝統（政治・権力優位の社会、人治の伝統）。しかし市民社会の形成は徐々に進んでいる。権力も一党制という伝統を維持しているが、協議民主主義の成熟に向かっている。最高指導者の独裁（毛沢東時代）から「民主主義の特徴を持つ一党制」へと変化してきている。習近平政治は権威主義的で政治的保守主義を信条とするが、経済政策では前の2つの政権より革新的である。

＊社会主義をめざす国家権力が前面にでて、それを梃として、過去70年工業化を推進してきた。国家が主導する第4世代工業化（金泳鎬）の一典型であろう。

＊中国共産党は、欧米民主主義（普通選挙権、3権分立）をいまだに拒否している。階級的視点から、欧米民主主義＝帝国主義、資本家階級政治と考えているためであろう。これは1面の真実であるが。

＊現在の中国社会主義理論の基礎は次からなる。

社会主義初級段階論（1987年）、社会主義市場経済論（1992・93年、2013年）、3つの代表論（1997年）、科学的社会主義観（2002年）、社会主義強国化論（2012年）。

3）中国社会主義的混合経済の現在、階層・階級構造

中国の現在は、社会主義的混合経済である。様々な経済的ウクラードが存在している。

社会主義論にとっては、この構造的特徴を明らかにすること、ついでそのもとでの

階級・階層構造及びその変化の趨勢を明らかにすることが求められる。しかし、中国の文献では、階級・階層構造を詳細に明らかにしている研究は殆どない（私は知らない)。都市・農村別に所得水準を５階層に区分するのが一般的である。

公式文献・統計から、私が知りえていることは次の諸点である。

胡鞍鋼によれば、現段階の中国には 12 の経済的ウクラードがあるという（これは中国統計の区分によっているのであろう)。主要なものは、国有セクター、集団所有セクター、株式・有限会社セクター、外資系企業セクター、私営企業セクター(平均就業者 10 人前後)、個体企業セクター（同 2.1 人)、農・林・水産経営セクターであろう。

国民経済におけるそれぞれの比重を就業者（2018 年統計、総数 77,586 万人）でみれば、私営企業セクター 21,375 万人、個体経営セクター 16,038 万人、第１次産業就業者 20,258 万人、国有セクター 6,064 万人（17 年)、外資系企業セクター 2,581 万人（17 年)、株式・有限会社セクター 8,213 万人(17 年)、集団所有セクター 406 万人(17 年)、そして第１次産業就業者 20,258 万人（18 年）である。

ここで注目すべきは、中国的混合経済の特徴は次の点であろう。

＊第１次産業就業者に個体企業就業者および私営企業就業者に加えれば、57,661 万人となる。つまり大まかにいえば、生業的性格を濃厚に持つ零細経営セクターが就業者総数の約 74％を占めている。非正規労働者をもつとも吸収しているのはこのセクターである。

近年急拡大しているのは、個体・私営企業セクター就業者である。

＊資本主義セクターは、外資系企業および株式・有限会社の１部（恐らくその約半数）とみなせば、就業者でいえば 6,687 万人である。このうちブルーカラー労働者の大半は農民工（2.8 億人、外出農民工 1.9 億人）と考えて良い。

＊国有セクターは、約 4,000 万人の公務員を入れて推定で１億人前後であろう。

以上は就業者構造であるが、生産構造、所有構造からみれば国有セクターの位置・役割が圧倒的であること、国有セクターと私有民間大企業は混合所有（相互の資本参加)、ＰＰＰ（官民提携)、共産党との人的結合を通じて錯綜した関係にある。

さて、中国社会階層・階級分析は、大変重要であるが、私にはその用意がない。古いものであるが、参考のため 2014 年６月の旧稿を、以下に再掲しておくことにする。中国では生活にゆとりのある中産階層が年々速いテンポで増加している。最新の諸研究によればその数約４億人前後とされている。この層が約１千万人の訪日者の母体であり、近い将来この層が６～７億人に達するものと考えられている。以下、「日中友好新聞」への寄稿である。

「中国社会階層の変動―中所得者層の拡大―

収入階層区分

中国の社会調査では都市と農村のそれぞれの収入階層を 20％・10％ずつの

5・10階層、あるいは両端の上・下層を10％刻みに分け、7階層に分けて示されることが多い。

『2014年中国社会形勢分析と予測』（社会科学文献出版社、2014年1月）の5階層区分によれば、2012年の都市の高収入階層家庭の一人当たり年消費支出は3.16万元です。他方、対極にある農村の低収入家庭のそれは3,742元。これは中国社会の格差の一端を示すが、階層構造を十分には表さない。

現代中国社会の階級・階層構造の研究は少ない。少し古いが、ジャーナリストの楊継縄『中国当代社会階層分析』（江西高校出版社、2011年6月）は数少ない研究の一つ。その結論的仮説は次のようです。

中国の階級・階層構造

上層：高級官僚、国有企業・事業単位最高経営者、大中型私有企業主など。2008年経済活動人口79,243万人の1.5％、約1,200万人。

中上層：高級知識分子、国有企業中高層幹部、中型企業経営者・大型企業幹部、中型私有企業主、外資企業ホワイトカラー、国家独占企業職員など約2,500万人、約3.2％。

中層：国有・非国有企業専門職員、一般公務員、国家独占企業一般職員・労働者、私営企業・個人企業主の一部など約10,499万人、約13.3％。

中下層：農民、農民工、ブルーカラー労働者54,000万人、約68％。

下層：都市貧困層、農村貧困層など14,500万人、約14％。

中所得層は25％弱

現在の中国社会は、①中所得階層がなお薄くバランスを欠いている。②社会保障が再分配制度としては機能していない、ことが特徴的です。その是正のため、「高収入の調整、低・中収入の底上げ」を基調とする所得倍増政策や社会保障制度・課税制度の改革が精力的に進められています。

遅福林主編『改革紅利』（中国経済出版社、2013年2月）は、2012年の都市住民でも50％以上が平均以下、農村を入れると、人口の4分の3が低所得層、中所得者層は、人口の23・24％、3億人前後としています。この状態は社会的安定と持続的で健全な経済発展にとり重大な障碍であり、早急な克服が必要として、2020年までに中所得層の倍化、6億人前後（40～45％）を提言しています。この本では家庭年収で8～20万元が中所得層です。

この提言では、新増都市人口の半分の1.5億人、農村の近代化で1.5億人の計3億人の中所得階層を産み出す、そのテンポは毎年2％前後増としています。このテンポでも全国民の中産階層化は35年前後を要することになります。13億5千万人の共同富裕化の達成には、まだ多くの時間と制度の改善が必要とされています。」（「日中友好新聞」2014年6月25日号掲載）

4) おわりに

「中国は社会主義か」という問い、コーディネーターである聴涛弘氏の問いや見解に対し、敢えて私見を対置するとすれば、私は次のような主張をしたい。

＊資本主義、資本主義市場経済が国により時代により多様であるように、現に存在する社会主義、社会主義市場経済も多様である。社会主義の場合、資本主義以上に社会、人間が大きな影響を与えるので、社会主義市場経済の具体的姿は歴史文化的要素からきわめて多様にならざるを得ない。当面の段階における中国的社会主義、中国社会の特徴は何かという問いは極めて重要で、明らかにしていかなければならない大きな学問的課題である。

＊今や中国のお家芸は、国民の生活水準の急速な向上である。現在、先進国の大半を覆う大衆の生活水準の切り下げを追求する新自由主義的経済政策を中国が追求しないのは社会主義だからであり、その制度的優位性からきている。これまでの先進国と異なる形で豊かさ、近代化を追求する中国の動きは実に興味深い。中国がどこに向かうとみるか、見解は大きく分岐している。私見はその１例である。より説得的理解が現れればそれに従いたい。

＊私は、中国が素晴らしいと述べているのではない。国民生活の向上を目指し、豊かさを追求する中国社会にはいい点が多数あると述べているに過ぎない。欠点も多数ある。それを是正していくのは中国人、中国社会の仕事である。中国社会の先進国へのキャッチアップへの希求は強く、貪欲に学び、その長所を多くの点で取り入れている。きわめてポジティブである。日本では中国を語る時、ネガティブキャンペーンが支配的である。この両国の心的態度の相違は甚だしい（ついでながら、日本ではアメリカ評価も低いという特徴がある）。先進国の中では日本の中国論の歪みが最も激しい。社会主義は素晴らしく、可能性に富んでいる。マルクスの社会主義論は、大きな誤りを含んでいたが、「極限概念」としては大いに有意義で､積極的意義がある。（副田満輝氏の60年代の主張と同じ）。人類史の３段階論などもそうである。日本がよくなれば中国もよくなる。逆も真であろう。

＊良質のジャーナリスト・研究者の珂隆氏は「中国は社会主義というより封建制である」､「共産主義かつ資本主義」としている。日本の経済学者、歴史学者は、中国を単なる開発独裁、市場経済化＝資本主義化と考えている人があまりに多い。そのため国家資本主義説が多数派となる。私的所有や市場メカニズムは、日々資本主義を生み出す土壌となるという理解は常に正しいわけではない。現にある中国社会は、伝統的社会主義時代（毛沢東時代）に比すれば格差が拡大した社会であると同時に、貧困層が減少し、全ての階層が豊かさに向かっている時代である。経済成長率と所得向上テンポを同歩とするという政策を掲げる国は、資本主義国ではありえない。同様に社会発展の方向・内容、テンポを計画し、実現しているのは、社会主義をめざす国でしかありえない。

＊先進国は経済的低迷に陥り、民主主義は機能不全状態にある。日本も例外ではな

い。資本主義の行き詰まりであろう。この時代に、改めて資本主義、社会主義、民主主義、帝国主義、そして戦争と平和について再考しなければならないであろう。資本主義、民主主義、帝国主義、戦争は親和的である。他方、社会主義は、かって民主主義と同義と考えられたが、現に存在した社会主義の現実により、独裁主義（一党独裁）、専制主義、平和と自由の対立物と考えられるに至った。あらたな社会主義の理念の再興・再建が求められている。

＊社会主義の社会主義たる所以は、連帯、アソシェーションであり、どこの国でもその要素は健在である。中国でも日本でもそうした様々な形で事実上のＮＰＯ活動は広く発展している。国家ではなく社会的・市民活動の広がりが希望の星である。経済人類学の影響を受けて、Ｊ．コルナイ（ハンガリー）は、人類史の資源配分システムとして、倫理的調整、暴力的調整、市場的調整、行政的調整の４つを挙げた。生産様式ではなく交換様式こそが重要とする柄谷行人氏（『世界史の構造』）もほぼ同様の認識であるが、互酬（贈与と返礼）の高次復活である未来のシステムはＸとしている。市場的調整に倫理的調整あるいは社会的・行政的調整を加えたシステムがありうる現実に可能な社会主義システムといえよう。

拙著参考文献

（１）「どうなる中国経済—米中紛争と中国の対応」『経済』2019年９月号。
（２）『奥深く知る中国』（第５章）かもがわ出版、2019年６月。
（３）「中国経済はどこへ向かうか」『経済』2018年８月号。
（４）「中国国有企業改革の現段階」『立命館経営学』第56巻第６号、2018年３月。
（５）「資本主義・社会主義・市場経済、そして民主主義」 山本恒人・村岡到編『上島武追悼論文集　社会主義へのそれぞれの想い』ロゴス社、2017年10月。
（６）「改革の全面的深化路線下の中国経済—習・李政権の４年—」『立命館経済学』第65巻第５号、2017年３月。（とくに第２節「社会主義市場経済化はどこまで進んだか」参照）。
（７）「中国経済の成長減速化と先進国化の展望」『研究中国』第３号、2016年10月。
（８）「中国経済の成長減速化をめぐって」『経済科学通信』第140号、2016年５月。
（９）「転型期の中国経済—新常態と第13次５か年計画」『経済』2016年１月号。
（10）「『改革の全面深化』と中国経済のゆくえ」『経済』2014年１月号。
（11）「中国経済改革論—経済発展と制度改革」『松山大学論集』第24巻第４－３号、2012年10月。
（12）「中国の経済政策論議—2012年」『季刊中国』第111号　2012年12月。
（13）「中国資本主義論によせて」『経済と経営』（長崎大学）第91巻第１・２号、2011年９月。
（14）「中国の都市住宅改革—国有企業改革、市場経済化の一側面」関西大学『商学論集』第47巻第２・３号合併号、2002年８月。
（15）「中国の経済発展と社会主義市場経済化の現段階」長崎大学編『アジアの新時代を迎えて』大蔵省印刷局、1997年４月。
（16）「市場と計画—社会主義の到達点」経

済理論学会編『市場と計画』青木書店、1992年9月。
(17)「社会主義の下での商品生産・市場メカニズム論の現段階」『社会主義経済研究』第11号、1988年9月。
(18)『中国社会主義と経済改革—歴史的位置』法律文化社、1988年10月。

中国は「社会主義をめざす資本主義」である

大西　広

①本シンポは各論者に「中国は社会主義か」との疑問に答えることを求めている。そのため、まずは私の回答を示したい。中国は「社会主義をめざす資本主義」である[1]。

②マルクス主義は現にある生産関係・生産様式を不変のものとしないので、現状がどういう生産関係・生産様式として理解されなければならないかに関心を向ける。これは極めて正当なことである。私は、京大教授時代の十数年前、中国経済学会という学会の分科会で当時東大教授であった中兼和津次氏と次のような論争したことがある。すなわち、私は「中国が社会主義か資本主義かを分からずに中国を理解したことにならない」と論じたのに対し、中兼氏は「それは分からなくてもよい。たとえば日本と中国の違い同質性が分かれば十分である」と答えられた。本シンポに参加された皆さんの立場は明確である。

中兼氏はその後、「中国は国家資本主義である」との通説に従って議論を展開されているが、どの時点で一種の「資本主義」であると規定することに意味があると認識されたかは分からない。しかし、ものごとの本質問題に無関心となりがちな「実証主義」と近代経済学の問題を示している。

③この意味で、「中国は社会主義か」といった本シンポにおける問題の提出はすぐれているが、一方で「中国は良い国かどうか」という疑問と「社会主義であるかどうか」という問題が混同されているのではないかという不安もある。習近平政治や香港問題、ウイグル問題などへの西側的な反中キャンペーンに影響された問題提起にも思われるからである。この反中キャンペーンには各種の誤解が含まれ、それにはそれで反論する必要があるが、それ以上にここで言いたいのは、「中国は良い国かどうか」という問題と「社会主義であるかどうか」という問題は別の問題であるということである。なぜなら、「主義」として社会主義

(1) 私はこれをサブタイトル / タイトルとする書物と論文を2度書いている。ひとつは、大西『現場からの中国論』大月書店、2009年であり、もうひとつは大西「中国:社会主義をめざす資本主義」『季論21』第25号、2014年7月である。

を目指していても、生産力段階がそれに達していなければ「社会主義」は実現できず、「資本主義」制度の維持・発展が求められるかも知れない（現在の中国はこう理解されねばならない）からである。このことを逆に言うと、条件次第では「資本主義だからよい」ということにもなる。各種の問題を含みつつも、たとえば鄧小平以降の改革開放路線(市場資本主義路線)は巨大な経済発展とそれによる国際的地位の飛躍を勝ち取った。これは「資本主義だからよい」との判断を生むひとつの重要な根拠となりうるものである。

④以上を前提に、ここからは「社会主義を目指す資本主義」であることの根拠を論ずる。まずは、これがある特定の「資本主義」であることを論ずる。これはまず何をもって「資本主義」と定義するかという優れて理論上の問題である。単に中国を知るというような作業によってではなく、マルクスの史的唯物論をどのように理解するか、といった問題である。

私の「資本主義」理解は、産業革命後において「資本蓄積が社会の第一義的課題となった社会」であり、それを「資本が第一義の社会」と要約し、したがって「資本主義」と命名されたものという理解である。それを説明するためにまず産業革命前の社会の封建制を説明しよう。そこでは機械がなく「道具」しかなかったために、生産力の質や量は道具を使う職人の側の熟練に頼らざるを得なかった。そして、そのために徒弟制という独自な生産システムが不可欠とされたが、そのためには、それに照応する儒教などの封建制イデオロギーや経営の小規模性（「小経営」）、市場分割などの諸制度が不可欠とされていた。

しかし、産業革命で機械が登場すると社会の必要性は一変する。なぜなら、今や熟練は不要となり、機械の質と量が生産力の質と量を規定する。そのためヒトにではなく、機械＝資本に資源を配分し、その増殖をする以外に生産力発展の方法はなくなる。産業革命後の社会が「資本蓄積が社会の第一義的課題となった社会」＝「資本が第一義の社会」となったのはそのためである。実際、この場合には熟練が解体し、よって単純労働者となった労働者は資本への対抗力を喪失して賃金が下がる。そして、その結果として増大した利潤が資本投下に回される時、この課題は実現される。「資本主義的な生産力発展」＝「資本主義の発展」とはこのように生じているのである。

この理解が従来の「資本主義」理解と異なるのは、「市場システム」をもって「資本主義」と理解しているわけではないということである。この点は、中国の「市場社会主義」概念と一致する。「資本主義か社会主義か」は市場システムを使っているか、計画経済システムを使っているかで判断されるのではない。市場も計画もそれは道具にすぎないとの立場と共通であるからである。ただ、それ以上にここで述べたいのは、「市場システム」をもってある特定の社会を定義したいのであれば、その社会は「市場主義社会」ないし「市場社会」と名付けるべきであって、「資本主義」と名付けるなら「資本」が中心となる社会として定義しなければならないということである。私

の定義はこの条件を満たしている。そして、この結果として、ソ連・旧東欧の経済システムや毛沢東期の中国は戦前期の日本やドイツと同様、「国家主導型の資本主義」＝「国家資本主義」として理解されなければならないこととなる。私が経済理論分野で最初に「デビュー」したのは、ソ連・旧東欧の崩壊をこの理解で説明した大西『資本主義以前の「社会主義」と資本主義後の社会主義』大月書店、1992年であった(厳密にはこの前にも同じ考えを2本の著作で表明していたが)。中国にフォーカスを当てて言えば、毛沢東期が「国家資本主義」、鄧小平以降が「私的資本主義」ないし「市場資本主義」となる。また、この理解の延長で、後者のシステムがさらに発展し「市場資本主義」の高次に位置する「国家独占資本主義」ということとなる。

⑤次に現在の中国が「社会主義を目指している」と理解される根拠について述べる。これについては、まず貧困撲滅への政権の真摯な努力から説明したい。中国はこの間、大規模に貧困人口を縮小させたが、その背後には農産物価格支持政策で農業所得を守ったり、直接の扶貧補助金を支給したり、さらには貧困家庭子女の全国重点大学入学補助制度を充実させたりしていることが挙げられる。これらは毎年の全人代において首相が政府報告に数値目標とその達成率を書き込むという形で遂行されている。ただ、富裕層や企業からの税の徴収はこれまで非常に不十分であった。たとえば、個人所得税の最高税率はようやく日本と同じ45%になったばかりであるが、日本のこの最高税率はどんどん落ちて最近45%になったというものである。日本的感覚としても非常に低いこの最高税率にようやくなった、というのはどう見ても不十分である。また、相続税も導入できていない。すでに2004年から導入の声が上がっていたものの、内部の反対で実現していないのであるが、その「反対者」は要するに富裕層であり、その反対の声が共産党内にも強い影響力を及ぼしている、ということになる。習近平が反腐敗闘争をまじめにやらねばならない理由はここにある。

この闘争がいよいよ待ったなしとなっているのには、成長率がかなり落ちてきていることも深く関わっている。なぜなら、高成長時にはいくらでも調達できた地方政府の土地開発収入(郊外の開発区や市街地の再開発地区の土地使用権販売など)が中成長化で急減の過程にあるからである。北京や上海を含む地方政府の財政収入の半分をこの土地開発収入で過去に賄っていたというから、今後の調達先開拓は猶予ならざる状況にある。この意味で、今後に大幅増加を予想される社会保障支出を賄うには富裕層などからの追徴は不可避であるから、共産党内への富裕層の影響力を断つための反腐敗闘争は急がねばならない。くりかえすが、習近平の反腐敗闘争はこの必要性から始められた階級闘争である。

実のところ、この反腐敗闘争はオフィシャルには単なる反腐敗闘争としてしか位置付けられていないが、本人が階級闘争とし考えているふしはある。共産党指導部内のある会議で習近平が「一部資本家との階級闘争が今必要となっている」との発言を

したとの情報があるからである。我々はこの意味で、中国国内にある習近平への反発なるものも、その実際は資本家階級の抵抗運動と見なければならないと考えている。習近平が彼らと闘っているのであれば、当然に彼らは反習近平キャンペーンをしてくるだろうからである。その意味では西側報道が反習近平で報道する理由もわかる。少なくとも我々がその偏向情報に乗せられてはならない。

⑥中国自身は自分の体制を「社会主義」と規定しているが、ベトナムとラオスは自身を「socialist oriented country」、つまり「社会主義志向の国」と規定している。つまり、すでに社会主義に到達したわけではないとの理解で、私の中国の現状理解と一致している。ただし、ベトナムの政権運営には中国に比して非常に大きな諸問題があり(多党制の禁止、米日への国際的協調、マルクス主義イデオロギーの軽視)、「社会主義志向」と言えるかどうかには大きな疑問がある。

⑦習近平政権をして「社会主義に向かう」=「社会主義を志向している」と評価するには基本的に以上の評価で十分ではあるが、この国家独占資本主義が経済的非常にうまく機能していることも付記しておきたい。この体制が「国家独占資本主義」であるということは、中国独占資本が国家との非常に緊密な関係を持っている事、たとえば政権上層部との人脈関係も非常に緊密であることによっても理解されるが、この次元で日本など西側諸国と全く同じ特徴を持つ中国国家独占資本主義も、独占資本と国家のどちらが指導的かという点においてまったく異なっている。たとえば、日本の自動車産業政策はトヨタが決めた後に経済産業省がそのサポートとして決めるというような関係となっているが、中国はまったく逆に国家がまず最初に決めてそれに自動車産業が指導されるという形となっているからである。これは、その多くが「国有企業」としてある独占資本の経営幹部が政府によって決められるという関係に根拠を持ち、また民間資本であってもその経営幹部を共産党員とすることによって国家=党の指導性を確保できているからである。私は小さな政府論者として国家の縮小、国有企業の民営化が歴史の趨勢であると考えているが、中国ではこのような意味で「国有企業体制」がうまく機能している。たまたま「社会主義を志向する政党」が政権を握っていること、その政策も賢明であること(「賢明君主」)がこの特殊な状況を形成している。近いうちに自動車を全面的に電気自動車とするとした中国自動車政策の賢明さはまた別に論じたい。

⑧冒頭③の論点でも述べたことであるが、資本主義か社会主義かといった問題は、実は鄧小平による改革開放政策の導入をどう評価するかという問題でもある。西側世界では鄧小平による改革開放政策が正しかったとしか報じられないが、実はそう簡単ではなく、それこそが現在のすべての諸問題を引き起こしているとも言えるからである。たとえば、(近年はかなり改善されるに至っているが)環境問題、格差の問題、

腐敗問題や金儲け主義蔓延の問題であり、さらにそれらの背景としての共産主義イデオロギーの軽視という問題がある。鄧小平はこうした諸課題の意義を認識していなかったわけではないが、経済発展はそれらに優先すると考え、よってそれらを後回しとした。その判断を私は支持するものであり、現在の巨大な経済発展とそれを基礎とした国際的影響力の拡大を考える時、中国国内の殆どの人々もそれを肯定している。ただ、それにしても、一人当たりGDPが過去における先進国ライン1万ドルをほぼ達成した今となってはこうして「後回し」となった諸問題に手を付けないわけには行かない。そして、ここ10年ほどの間に環境対策が相当強化されるようになったこと、また、習近平時代になって上述のように格差や腐敗撲滅への努力も強められるようになったことは、こうした変化を背景としている。これらはすべて鄧小平が後回しにしてきた重要な社会的課題である。

しかし、ここで重要なのは、鄧小平が改革開放に当たって後回しにしたということは、それまでは重視されていたということであって、これらの課題が「共産主義的」ないし「毛沢東的」であったということが重要である。つまり、これら後回しになっていた課題の復活とは、毛沢東主義の復活であるということである。このことは習近平政権によるマルクス主義研究の重視という形でも表れている。

⑨実を言うと、こうして鄧小平が「後回し」とした課題には民主主義の問題もが含まれている。我々はどうしても西側の報道に惑わされ、「民主主義」の点では鄧小平の方が毛沢東より「まし」な存在として見てしまっているが、実はそうではなく、毛沢東は一時期(反右派闘争期)を除いて大衆の政治運動に制約をかけるような人物ではなかった。もっと直接的に言えば、あの文化大革命も毛沢東が「人民」をして大規模な大衆運動を発動させ、それによって政府を包囲する「造反運動」だったのだから、彼の立場は「反権力」、「反官僚」の側にあった。こうした大衆運動を毛沢東は「大民主」と呼び、西側の制度民主主義たる「小民主」より優れた民主主義であるとしたのである。この時には、権力は大衆の言論、出版、集会などの規制を一切行わなかったし、行なえなかった。私はこの意味で、文化大革命の問題は「造反有理」や「自力更生」、反官僚といったその内容にあったのではなく、暴力にあったのだと特定することが重要であると考えている[2]。

そこで考えねばならないことは、現在、中国に不足している民主主義とは何かという問題である。それは大衆による言論、出

---

(2) 文化大革命期におけるやや似た問題には中国による日中友好協会への介入問題がある。世には多くの誤解があるが、ここで争われたのは文化大革命の当否ではなく、日本政治への中国の介入の当否であった。現在の中国が内政不干渉原則を徹底させるようになっている背景にはこの介入への深い反省がある。ただし、介入自体に問題があったのではなく、そこでの暴力が問題であったと問題を特定化すべきという考えも存在する。この問題は今後よく検討される必要がある。

版、集会などの自由ではなかったか。そして、もしそうすると今復活されなければならないのは（暴力を禁止した上での）「毛沢東主義」ではなかろうか。鄧小平は「大民主は文革を再来させる」として大民主を禁止したが、私の考えでは(暴力問題を除く限り)中国における民主主義不足の問題はここに始まっている。言い換えると、鄧小平は改革開放に当たり、先に述べた各種課題を後回しとしただけでなく、「民主主義」をも後回し（永遠に?）にしたのである[3]。中国おいてそろそろ復活されなければならない課題、鄧小平を離れて毛沢東に回帰しなければならないという内容はここにもある。西側では毛沢東を離れて鄧小平へ、そして鄧小平からさらに西側システムへの進むのが唯一の正しい道だと認識されているがそうではなく、鄧小平が置いてきぼりにした課題を復活させるのが今後の方向性だと私は考えるのである。

なお、実のところ、この点に関する限り習近平の「毛沢東主義の復活」の兆しは極めて限定的だと言わざるをえない。中国の政治改革には「○○協商」という名前の公開討論の重視というものがあるが、これをもって本来の「大民主」と見做すことはできない。大衆運動に依拠した政治を志向した薄熙来こそが真の毛沢東主義者であったと理解されよう。この点からの薄熙来の評価は大西広編『中成長を模索する中国』慶應義塾大学出版会、2016年所収の瀬戸宏論文を参照されたい。この薄熙来は「新自由主義派」の温家宝によって弾圧されたが、習近平の権力奪取もその流れを利用している。あまり報道がされていないが、現在も薄熙来的な毛沢東主義者やトロツキストは弾圧をされている。

⑩資本主義か社会主義かといった問題は生産関係の問題であるから基本は国内の経済システムによって判断される。ただ、現在の全般的な中国評価には対外政策も含まれるので、少しはその問題にも触れておきたい。この点での私の評価は「後発帝国主義同盟」たるBRICSのリーダーであり、アメリカに代わる次の覇権国であるというものである。

現在、米中間の貿易と技術覇権をめぐる「戦争」は厳しい局面を迎えているが、ここで確認されなければならないことは、これがレーニンが『帝国主義論』で述べた通りの「世界資本主義の不均等発展」である

(3) 1989年の天安門事件で鄧小平が民衆運動を弾圧したのもこの考えによっている。この弾圧は正真正銘の「大民主」への弾圧であり、したがって、当時の毛沢東主義者はそれに大いに反発した。中国で育ったカナダ人カーマ・ヒントンはこのドキュメンタリー映画「天安門」を撮影しているが、のパンフレットには毛沢東主義者であった彼の父親が弾圧に大きな憤りを感じていたと書かれている。ただし、今から30年も遡る1989年段階ではこの課題の復活は早すぎた。まだまだ経済成長が優先されるべき段階であったと私は考えている。その点は、大谷禎之介・大西広・山口正之編『ソ連の「社会主義」とは何だったのか』大月書店、１９９６年所収の私の章を参照されたい。

ということ、そしてまたその結果として先発／後発帝国主義国の独占資本間での争いが各国政府を巻き込む政治的闘争として現われているということもレーニンの「帝国主義間戦争」として理解できるということである。今回の「帝国主義観戦争」は今のところ実際の戦火を交えるには至っていないが、軍事とは一種の政治である。本来経済的な争いであるものが国家を巻き込んだ争いとなっているという意味ではレーニンの「帝国主義戦争の不可避性」の証明となっている。この点は、大西「米中貿易戦争は必然の帰結か -- 日中対立から米中対立へ」『中国年鑑 2019』中国研究所を参照されたい。

ただし、中国が「先発帝国主義」の日本を競争相手としてきた時代がおわり、アメリカを競争相手とする時代に入るとアメリカに代わる「覇権」が視野となってくる。そして、その中国覇権としての「パックス・シニカ」は一帯一路戦略やファーウェイによる 5G 覇権の奪取の下で現実化しつつある[4]。この点は、大西「トランプ登場が意味する米中の覇権交代—「パックス・シニカ」による「よりましな世界」へ」『季論 21』2017 年春号でも詳述したが、そのポイントは、アメリカ覇権の形と中国覇権の形がまったく異なるというものである。アメリカはいつもどこかの国を軍事攻撃のターゲットとしていて、その都度その軍事行動の「有志連合」を募っているが、中国が求める有志連合は AIIB などの国際銀行の設立、途上国における共同でのインフラ建設に対してである。この両者を同じものと見てはならない。全世界を植民地として直接支配した「パックス・ブリタニカ」より、間接支配の「パックス・アメリカーナ」がよりましな世界秩序であったのと同様、次に来る「パックス・シニカ」は「パックス・アメリカーナ」よりはましな世界である。理想的な世界秩序ではないが、我々が国内で「よりましな政府」を求めるのと同様、この「よりましな世界」の建設に協力するのが我々の当面の現実的な任務であると考える。

なお、以上のような意味で中国の世界進出の基本は経済的進出であるが、GDP が拡大する以上、軍事力の強化も進んでいる。ただ、こうして中国に強い軍隊が必要だとする国民的合意が成立している最大の背景は、過去において日本の軍事侵略を受けたという事実にある。日本人は中国の軍事拡張について論ずる前にまずそのことを知っておくべきである。

⑪このこととやや関連して、世界におけるマルクス主義／マルクス経済学の復興がこの中国の発展と深く関わっているということを述べておきたい。これは、過去におけるソ連や旧東欧の「社会主義」にいかなる問題があったにせよ、そのある時期までの経済的成功が近代経済学の地位を低め、

(4) 中国の一帯一路政策は途上国に債務を強要するものとの批判があるが、ラオスでの鉄道建設に関する限りその批判が誤っていることを私は詳細な現地調査で明らかとした。関心ある読者は大西「ラオスの鉄道建設は中国の債務外交か」『立命館文学』2020 年春を参考されたい。

マルクス経済学の興隆をサポートしたことからも言える。今や世界の先発帝国主義諸国は経済停滞とそれによる政治的混乱の渦中にあり、途上国の殆どは中国を見習おうとしている。そして、それは中国人を会長とする世界のマルクス経済学者の連合体の強化をサポートし、世界各地でその組織化が進行している。World Association for Political Economy（世界政治経済学会）と名付けられたこの学会の副会長を私はしているので、この意味で中国を中心とする「よりましな世界」の建設に実践的に関わっていることになる。なお、2年に一度北京大学で開催される「世界マルクス主義大会」もこの趣旨で非常に重要なイベントとなっている。

実際、慶應義塾大学の近代経済学者を見ていても、アメリカの没落とトランプのような野蛮人の大統領への当選で自信を喪失しつつあるように見える。ノーベル経済学賞は相変わらずこれまで通りの路線で選ばれているが、その経済学は本当に世界を理解し、本当に世界をリードできているのであろうか。こうした彼らの自信喪失を我々はもっと捉え、今こそマルクス主義/マルクス経済学者の時代と世界に対し呼びかけねばならない。この状況を作ったのが中国の経済発展であるというのがここでのポイントである。

⑫以上のように中国の現状を「社会主義でない」と評価しつつも、あるいはそうであることを含めて私は全体的に肯定的に評価している。そして、日本の政権党までもが「反中」から「親中」への転換をここ数年、急速に進めている（その中心は自民党二階幹事長である）にも関わらず、「リベラル派」を中心とした日本左翼がどんどんと「反中化」していることは残念でならない。左翼には一般的に「政権党の逆を行く」（したがって世の趨勢に逆行する）という特性があり（このことは最近、大西「先鋭化する階級対抗と実現可能な経済政策」『日本の科学者』2019年11月号で論じた）、そのことも影響しているが、それとともに「反中」でないと国民の支持を得られないとの「誤解」も影響しているものと思われる。左翼は「経済」を軽視する傾向があり、よって「人権」といった論点に過剰に反応する。そうした支持層を持つことによるバイアスとも言える。しかし、それでも、中国があらゆる点で急速な発展をし、GDPでも日本の3倍近くになってくると、若者の多くは中国をもっとポジティブに見るようになってくる。この表れが、若者における「中国に対する親近感」の急速な増大となって現れている。その様子を次の図で確認されたい。今や18-29歳の若者の36%までが中国に親近感を感じるに至っているのである。私は左翼がこの点でも世の逆を行ってしまう危険を感じている。状況判断を誤らないことを強く期待する。

（2019年10月27日、出張中の成都にて）

「課題設定」に対する返答

山本恒人

はじめに

山本が「社会主義」、「中国社会主義」についてこれまで発表してきたのは聴濤による6つの課題設定のうち主に「課題設定1」および「課題設定5」にかかわるものであり、ここでも主としてこの2点での発言に力点を置く。「課題設定2、3、4、6」については簡略に回答し、当日必要な限りで議論に参加したい。(以下、シンポジウム当事者については敬称を省略する)。

Ⅰ．課題設定1

1. 中国は「大きな政府型資本主義である」(現状の認識、あるいは成功の事実の理解と説明)

中国共産党19回大会後、林毅夫氏（北京大学新構造経済学研究院院長）は改革開放後の中国の発展を大意次のように総括している。「党11期3中全会は改革開放の新しい時代を切り開き、我国は発展の経路を変えて市場化改革をすすめ、社会主義市場経済体制を打ちたてた。そして、我国の国情に適合する発展目標を確立し、豊富な労働力という比較優位を利用し、雇用をうみだし、かつ農村の大量の余剰労働力を吸収しうる労働集約型産業を発展させることで、対外輸出と国民経済の高度成長を実現した。その過程は、とりもなおさず利潤創造と資本蓄積の過程でもあった。それは我国の要素賦存構造を労働力の相対的豊富から資本の相対的豊富へと転換させ、比較優位を労働集約型産業から資本集約型産業へと転換させた。計画経済体制から社会主義市場経済への転形が成功したからこそ、我国は後発の利益を十分に活用することができたのである」(「中国経済改革；成就、経験与挑戦（紀念改革開放40周年)」『人民日報』2018.7.19)

林が指摘するように「後発の利益」こそ、中国の今日の発展を理解し、説明する最も重要な視点だといえよう。「後発の利益」はガーシェンクロン(A.Gerschenkron)が見出した経験則であり、後発国は先発国が開発した新しい技術を導入しながら工業化を推進するため、その技術進歩は潜在的には急速であり，それゆえ経済成長率も先発国を上回る。ＧＤＰ２倍化に要する時間については19Ｃの英国155年に対して、20Ｃの米、独30～60年および20・21Ｃの中、印15.5年という例がよく使われる。

「後発の利益」の実現は後発国（経済開発主体）の受容・消化能力の有無が左右する。後発国の政府がリーダーシップを発揮し、経済官僚の育成や開発プログラムの策定、技術人材の育成や企業の誘導に努めることが不可欠となる。後発国の「大きな政府型資本主義」の成功例が、第二次大戦後の日本の高度成長であり、その変型としてのNIES（韓国・台湾・シンガポール・香港）における開発独裁型高度成長である。中国

の成功はこれらの歴史的経験の延長線上にあって、強度の集権（開発独裁）と民間の活力との弾力的な配合が「市場原理」の導入によって実現され、「経済大国化」を達成したのである。

以上の理解と説明においては、成功における「社会主義的要件」はとくに必要とはならない。

2. 中国は「国家資本主義」である（理論的な規定）

山本は、中華人民共和国の体制を「現存社会主義の体制」と批判的に理解してきた。また「社会主義市場経済」という中国の自己規定にもとくに異論を差し挟まなかったが、体制理解の立場の変化を改めて表明した（2010年）。

その変化は大谷禎之介・大西広・山口正之氏らの次のような見解への共感と同意にあった（大谷禎之介・大西広・山口正之編『ソ連の社会主義とは何だったのか』大月書店、1996年）。かれらはソ連の社会システムは先進資本主義諸国とは著しく異る特殊性を持つ「国家資本主義」と主張する。この国家資本主義の定義は、「生産手段が国家に帰属し、その占有・処分権をもつ国家官僚が資本機能を遂行し、生産手段から切り離された直接的生産者が賃労働に従事するシステム」（叶秋男「ソヴェト経済体制の性格規定とスターリン体制現出の諸要因」、同上書）である。「社会主義へ移行するために必要な経済的物質的基礎を持たなかったプロレタリア国家は、後発資本主義国の工業化の一形態としての国家資本主義の独自な表現」である（山口正之「労働の社会化とソヴェト国家資本主義」、同上書）。

中国については、大西は毛沢東期を国家資本主義と捉え、改革開放期を市場資本主義と捉えている。なぜならば、改革開放期には資本蓄積が市場的要因によって促進される段階に入った、と考えるからである（大西広『現場からの中国論－社会主義に向かう資本主義』大月書店、2009年）。この大西広の視点は副題に示されているように、中国の市場資本主義は「社会主義に向かう資本主義」であり、ここに取り上げた研究グループが生産力発展、科学技術の発展をとくに重視する「唯物史観」の特徴をもつことに由来する。

3. 「中国は社会主義」および「中国は社会主義に向かう資本主義」という規定の問題点について

村岡到氏の「党主市経社会」論（村岡到「中国を理解する要点は何か？－憲法の度重なる改正が意味するもの」『フラタニティ』No.5、2017年5月）と井手による「党国社会主義市場経済」論（井手啓二「現代中国資本主義論に寄せて」『経営と経済』（長崎大学）Vol.91No.1・2、2011年9月）を取り上げる。

「党主市経社会」の「党主」とは「党主政」の略であり、「民主政」の対極にあるとする。「党主」の法的根拠は現憲法の規定「中国共産党の統率的指導」であり、その歴史的根拠は「中国革命の勝利」すなわち「中国共産党の活動を抜きにしては絶対に民族の独立と革命の勝利は実現しなかった」（「中国革命の最奥の意義」）ことにある。「市経」とは「市場経済」の略である。井手の「党国体制」とは孫文の国家政治体制論に由来するシステムであり、「以党治国（党をもっ

て国を治める)」である。西村成雄氏はこれを事実上の「主権在党的」政治体制と指摘している（西村成雄『中国の近現代史をどう見るか』(シリーズ中国近現代史⑥)）岩波新書、2017年6月)。

(1) 両者の共通認識

①背景認識

両者とも、中国が中国共産党の「社会主義市場経済化」路線の下で、高成長を実現していることを高く評価することを議論の前提としている。

②理論的認識

両者とも、「中国を資本主義あるいは国家資本主義」と認識する論者の基礎には、市場経済と資本主義とを同一視する視点があると、強く批判する。村岡は「市場とは、貨幣を媒介とする生産物や資産の交換の場であり、資本制経済とは土地と生産手段の私有を基礎とした、賃労働と資本の対立を基軸に、利潤を動機・目的とする生産であり、市場によって実現する」と認識する。井手は「市場経済は近代社会の共通基礎。それを人間・社会が主体としてマクロ制御するという構想である。これはF・ブローデルの,〈物質的生活,商品経済,資本主義〉という３層構造の資本主義理解と類似の理解に立つ。「商品経済すなわち市場経済と資本主義はイコールではない」と認識する。究極的には両者とも「市場経済」を超歴史的なシステムあるいは超歴史的な機能を有すると見なしている（これについてはⅡ－１で述べる)。

③中国共産党の指導性に対する接近と強い信頼

村岡の「党主市経社会」論では、「中国共産党の統率的指導」と憲法に明記されていること、同様に内実はないが憲法に「社会主義」が明記され、「社会主義への志向性」を備えていることに対して、村岡はこれらの「意味を活かす」ことの重要性を強調する。強い信頼とは、「1949年中国革命」を遂行した中国共産党への信頼である。

井手の「党国社会主義市場経済」論における現実的接近とは、「20世紀社会主義の貴重な経験は，市場メカニズム排除の社会主義システムは，持続不可能であることを明らかにした」が、「市場を利用した代替的社会主義の構想や試行が生じるのは必然であろう」という指摘に尽くされている。井手は「社会主義のエッセンスは、人間による経済の社会的制御の実現にある」と認識している。中国における「社会主義市場経済化」の進展は人間による経済の社会的制御を実現しつつあり、それは「社会主義の再生、社会主義の新しいヴィジョン」を示すと、中国の体制を積極的に「社会主義」だと判断している。さらに「この過程は中国政府、中国共産党という巨大な人間集団が制御し、規制して進められている」と、中国共産党の主導性、指導性に対する強い信頼を表明している。

（2）両者の相違点

①社会主義とは何か

村岡は、「マルクスは資本主義を超えるものを〈社会主義〉あるいは〈共産主義〉として打ち出した」と、この文脈では明示しているのみである。そのうえで「そこで掲げられた〈社会主義〉なるものは、歴史

的には未だ地球上のどこでも実現したことはなく」、「〈未存・未知〉すなわち「確定した内容はまだ無く、〈社会主義を志向する〉ものに過ぎなかった」のである。その限りで判断は弾力的である。

これに対して、井手は20世紀の「伝統的社会主義」の存在を認めつつ、「社会主義の歴史的経験は市場を組み入れた社会主義計画経済でないと持続的経済発展は不可能であることを明らかにし」、ソ連・東欧の「崩壊・自壊の巨大な衝撃の下で」、「中国は思い切った改革に踏み込んだ」とする。それが「社会主義市場経済化路線」である。井手はその限りで、社会主義を「市場経済＋公有制主体＋労働に応じた分配主、目的は共同富裕の実現」と定式化している。

②共産党の一党支配

村岡は、「〈プロレタリア独裁（一党支配－引用者）〉と〈共産党の統率的指導〉とははっきりと区別されるべき」と断じている。井手は逆に、中国は「政治システムの面では一党支配体制を維持している」ことを認めている。そのうえで、「政治的自由化・民主化を着実に進めているものの、なお伝統的社会主義の枠内」にあり、「中国が政治システム面でも伝統的社会主義の枠組みを何時、どのように突破するのか」に関心を寄せつつ、「経済発展は近い将来大幅な政治的民主化を呼び起こすであろうことは確か」だ、と締めくくる。

③「党主市経社会」論と「党国社会主義市場経済」論の客観的特質

以上に明らかなように、両者は、村岡が「社会主義の志向性」を担うと限定をつけながらも、井手が社会主義は「一党支配」のもとで実現されているが、「一党支配」それ自体はやがて突破されると展望しながらも、少なくとも当面は両者とも「党主」もしくは「党国」体制が不可欠であると認識する点で共通するものである。村岡は時間的限定をつけず、井手は過渡的という意味で限定づけてはいるが、中国社会の「主体的要件」として「主権在党」的な意味での共産党の存在を、第一義に置き、中国の社会主義を中国共産党に仮託するのである。少なくとも、両者の議論には上島（V－2）がいう意味での「社会主義の担い手」に関する議論は不在なのである。

Ⅱ．課題設定２

1. 市場経済、市場原理（価値法則）について

井手は、中国社会を資本主義社会と規定する見解が「市場経済イコール資本主義」という謬論の上に成立していると主張する。山本は、商品生産社会と資本主義生産社会とは歴史的発展の段階として区別している。区別の根拠は市場原理の生成と確立との差異にある。商品生産社会における市場原理の作用は生成期にあって限定的であり、資本主義生産社会すなわち土地・労働・資本の三要素市場が成立して初めて市場原理は確立し、資本それ自体の増殖過程が完成し、それとともに生産力の全社会的発展の段階に至る。商品・貨幣・資本の運動は市場原理によって担われながら人間労働の外化過程を生み出すが、その物化性、物神性は資本主義生産社会にあって頂点に立つ。その意味では「市場原理の全面的機

能化イコール資本主義」である。人間労働の外化過程と共に資本主義社会にあっては国家権力の外化過程も進行する。Ｉ－３に見る井手の議論は、「市場経済」、より正確には「市場原理」を超歴史的なシステムあるいは超歴史的な機能を有すると見なしている。中国は以上の意味で「市場原理が全面化する資本主義」に向かっているのである。大西はそれをもって「社会主義に向かう」物的基礎として捉えるが、そのことをもって「社会主義に向かう中国市場資本主義」とするには論理の飛躍がある。その論議は「課題5」となる。

社会主義・共産主義、すなわち未来社会は歴史段階としての人間労働の外化過程に対する対抗過程としてとらえられるべきである。アソシエーションの構築である（田畑稔「アソシエーション革命について」田畑稔・大藪龍介・白川真澄・松田博『アソシエーション革命へー理論・構想・実践』社会評論社、2003年)。社会主義的発展のある段階で市場メカニズムを活用（聴濤の言葉では「市場を積極的に認め計画経済のフィードバック（自動修正装置）として使う」）する必然的過程と、それを人間労働および人間関係の「外化（物神化）過程」として克服する過程とは区別されなければならない。

2. 中国における経済格差の現状をどうみるか

ジニ係数からみた所得格差は改革開放後なだらかに拡大し、21世紀初頭ＧＤＰの急成長期に入ってピーク（0.49）に達した後、約0.4台で高止まりしている。投資主導型成長から内需・消費主導型成長への転換努力（中成長路線)、および分配制度改革が経済格差是正にもつ意味は大きい。しかし、とくに後者の改革テンポが遅いのは、固定資産税や相続税導入の遅れに見られるように富裕層の抵抗が強いことが影響している。ここでは中国の社会学者楊継縄による「中国社会階層モデル表」(2008年）を掲げておく。楊継縄は今後の趨勢として「中間層」の拡大を指摘しているが、現状では、いわゆる所得階層構造の「ピラミッド型からオリーブ型」への転換に成功しているかは疑問である。2020年（第一の百年）の目標「小康水準の全面的達成」の行方を見定めたい。【下図表参照】

Ⅲ．課題設定３

井手は、社会主義を「市場経済＋公有制主体＋労働に応じた分配主、目的は共同富裕の実現」と定式化している。この「公有制主体」論と聴濤による「企業の社会的責任の度合に応じた社会的所有の多様な形態」論との議論を見極めながら、当日必要な限りで議論に参加する。

Ⅳ．課題設定４

聴濤のこの課題設定「資本主義か社会主義か曖昧である。市場経済か計画経済か曖昧である。相当大規模な私企業も国有企業も許容する等々。全体が曖昧であるが、そこが中国の良いところであるという議論」についてそれぞれの見解を求め、「一致点のあるなしを検討する」については、設定の妥当性に疑問をもつ。そもそもそのよう

な議論がどうような内実と広がりをもっているのかが不明である。

故加藤弘之氏が「曖昧な制度論」(加藤弘之・梶谷懐編著『二重の罠を超えて進む中国型資本主義』―「曖昧な制度」の実証分析』ミネルヴァ書房、2016年)を提起したのは標題通り、中国資本主義の独自性分析を目的として、中国型資本主義を機能させる「曖昧な制度」を提起したものである。その意味では、主テーマの議論にはそぐわない思いがする。

加藤の分析に対しては、渡辺幸男氏が「経済学の産業論の論理で充分説明可能であり、伝統的社会の制度に擬せられる必要性はほとんど存在しない」と批判を加えている(渡辺幸男『『現代中国産業発展の研究―製造業実態調査から得た発展論理』慶応義塾大学出版会、2016年)。この批判が妥当であるか否かを含めて、山本は加藤著に対する書評を行っているので(『現代中国研究』第39号、2017年)、必要であれば当日議論する。

V. 課題設定5

1. 中国版ノーメンクツーラ体制

総じてソ連・東欧・中国の旧システム(「社会主義計画経済)を国家資本主義として概括する大西らの研究においては、その国家資本主義を担った国家とは何であり、その国家と共産党一党支配との関係はどのようなものであり、その後の中国の国家資本主義もしくは市場資本主義と一党支配体制との関係がどうあるかについては、関心が向けられない。

そこで想起されるのは、ソ連体制とその崩壊を総括したL.Holmesが次のように指摘していることである。「人員のリクルーメント=ノーメンクラツーラを使った支配;社会を支配する上での党の武器庫の中でも最強力の武器。この権力はノーメンクラツーラ体制(Nomenclatura System)を通して、実行に移されたが、どのように共産党が社会の支配を維持し続けたかをつかむ上で、この体制の理解は決定的である。ノーメンクラツーラとは、党の各級機関の書記長が握っている秘密名簿のことであり、そこには党にとって重要とされる執行機関の全ての役職が含まれている。この名簿には党内の役職だけではなく、議会、企業体、教育機関、警察、労働組合、婦人組織、青年団体、メディア、軍隊、その他の役職が含まれている」(Leslie Holmes COMMUNISM ; A Very Short Introduction, Oxford University Press,2009.)。

ノーメンクラツーラは共産党一党支配の体制と不可分である。共産党のもつ中央集権原理は社会のすみずみのリーダーシップを中央委員会に、そしてその長たる総書記に束ねる組織原理を持っているのである。国民が権力を一旦共産党に委ねてしまえば、国家権力の意思と国民の意思との相互交通を保証する制度的機能はない。国民が共産党に強制する手段はなく、共産党が国民に強制する手段のみが残される組織原理なのである。この原理があって初めてノーメンクラツーラは支配階級となりうる。こうして国家権力は共産党によって、共産党員からなるノーメンクラツーラによって、

そしてノーメンクラツーラを選抜する総書記によっても簒奪される可能性が成立する。

中国におけるノーメンクラツーラ体制については、矢吹晋氏の研究（矢吹晋「中国官僚資本主義体制の成立」『ICCS Journal of Modern Chinese Studies』Vol.4（2）2012、（pdf））以外ほとんどない。矢吹によれば、ソ連のノーメンクラツーラ制度をソ連共産党の直接の教示を受けて、1953年、毛沢東、劉少奇の了解のもとに正式に導入したのは当時組織部副部長だった安子文（1909 − 80、中共組織部長 1955 − 66）であり、中国におけるその名称は「中共中央の管理する幹部職務名単表」である。初期の「中共中央の管理する幹部職務名単表」では以下の範囲に及ぶという。紙幅の都合上簡略に列記する。＊軍隊幹部、＊文教工作幹部、＊計画、工業工作の幹部、＊財政、貿易工作幹部、＊交通、運輸工作幹部、＊農業、林業、水利工作幹部、＊統一戦線工作に関わる幹部、＊政法（司法治安系統を指す）工作幹部、＊党群（党と大衆）工作幹部とその他の工作幹部。

2. 社会主義の主体的要件

上島武氏の社会主義論について、岩林彪氏が簡潔に次のように述べている（岩林彪「追悼 上島武さんを偲ぶ〈ソビエト官僚制史観〉」『比較経済体制研究』（比較経済体制研究会）No.23、2017 年 5 月）。上島の「研究はそもそもの初発からスターリン批判をその中心に据え、この視点からソ連社会主義、さらには社会主義一般を捉えるという方向が目指されている」。岩林は続いて上島社会主義論における固有性が、「あるべき社会主義の建設を担う主体のあり方、すなわちあるべき社会主義の主体的側面に関わっている」と指摘している。

岩林は続いて、上島の考える「社会主義の主体的要件」を次のようにまとめている。

＊社会主義社会を運営し、そこで生産を組織する主体は労働者、労働者の自発的組織とそのさまざまな結合体である。

＊経済計画を作成し、実践し、その諸成果を点検しつつ新たな計画を作成するのも労働者自身である。

＊労働者は自らの上に君臨する新たな階級や新たな人間集団、その機構を必要としない。

＊社会主義はそこに要する時間は別として、国家と国家機関を構成する官僚を徐々に振り捨て、やがて不必要なものとする。

＊人間を「物」の支配から解放し、「人」の支配から解放する。これが社会主義の究極の目的である。

この指摘は、Ⅰ − 3に見た井手の「党国体制」論、村岡の「党主市経社会」論を念頭に置くとき、またⅡ − 2に掲げた中国における「中国社会階層モデル表」に見るピラミッド型官僚制社会における労働者層のおかれている状態を考慮すると、その対称性において極めて重要な指摘である。

3. 毛沢東の「官僚制」との「闘争」とその挫折

陳東林氏は次のように指摘する（陳東林「吉拉斯和毛沢東的預言 − “文革” 対中国社会現代化的影響」『ICCS 現代中国学ジャーナル』（愛知大学 ICCS）Vol.7（2）、2014 年）。「中国社会には腐敗幹部を代表とする既得利益集団が形成されており、そ

れを新階級と呼ぶこともできる」。陳は、旧ユーゴのM.ジラス（『新階級－共産主義制度の分析』1963年内部・中文版発行）による「新階級概念」を念頭に置いている。ジラスは「共産主義制度は一党独裁制度を必然化する。それによって幹部階級は政治的な独占を占有するばかりでなく、経済的にも人民の労働による剰余価値と全人民所有制資産を無償で占有できる」と指摘したが、陳は、毛沢東の階級論と階級闘争論および文化大革命の論理と実践との比較のもとに自身の「社会主義者社会の主要矛盾」論を展開する。そのうえで、「社会主義制度は共産党が将来に人民と対立する方向に向かわないということを保証するものではなく。共産党内にはいつか特殊な権力階層と利益集団が生まれうる」という本質的問題を予見して、毛沢東は「文革」を発動したという。ただし、その解決の試みは「無産階級独裁（一党支配；引用者註）下の継続革命」によって「幹部階層と人民の対立」を解決しようとするものであり、それは失敗したのである。それゆえ、「一党支配（中文では専制；引用者註）がないという条件の下で、毛沢東が提起した『新階級』問題をいかに解決するかということこそ、中国が真に現代化できるかどうかの鍵となるのである」。

4. 中国における「権貴資本主義」論

Ⅰでの論点にも関わるが、ここで中国の研究者の間に広がっている中国の体制を「権貴資本主義」と捉える視点を見ておきたい。

Ⅱ－2で紹介した「社会階層モデル表」（楊継縄『中国当代社会階層分析』江西高校出版社、2011年）の作者楊継縄は近著で次のように主張している（楊継縄著、辻康吾編・現代中国資料研究会訳『文化大革命50年』岩波書店、2019年）。〈毛沢東体制下での官僚集団（彼らの一族郎党、友人を含め）は改革開放の中で権力と権勢を握る新たな「権貴集団」（権力を持ち社会的身分の高い特権階級）となった。改革以降官僚たちが掌握した富はより大きく、彼らが享受するものは改革以前の官僚のそれをはるかに超えるものである。官僚たちは特権を引き続き享受するほかに、手中の権力を用いることで利益の最大化を追求してきた〉。〈改革によって樹立された制度は「社会主義市場経済」を名乗ってはいるが、実質は「権力市場経済」（権力支配の市場経済）とも「国家資本主義」とも呼んでよい）である。つまり国家の行政権力が市場を支配し、コントロールしている。この権力市場経済という制度下で大小の権力の核は一つ一つが強大な吸引力をもつブラックホールのように、社会の富を権力と親密な関係をもつ社会集団へと吸い込んだのである。社会的公正は大幅に失われ、貧富の格差は急激に拡大している。権貴集団と一般民衆の間の矛盾は日増しに厳しいものとなりつつある〉。

改革派経済学者茅于軾氏と呉敬璉氏も共に「権貴資本主義」について言及している。茅于軾は「土地、金融、資源などを国家が独占する経済体制と、政治的な権力が結びつき、歪んだ『権貴資本主義』が生まれている」、「現状の不公平は自由な競争の結果ではない、特権が生んだ格差」であり、「しかも身分が固定する傾向にある」と、指摘

している（インタビュー記事「毛沢東批判の経済学」『朝日新聞』2012年5月16日）。これに対して、呉敬璉は現状を「半市場経済･半統制経済の二重体制」と捉えており、今後、政府の市場に対する干渉を弱め、市場の失敗や公企業領域での活動を強めて現代的な市場経済あるいは「法治的市場経済」へと向かうのか、政府の市場に対する統制や干渉を徹底し、国有部門の独占が拡大強化され、経済社会発展を全面的にコントロールする国家資本主義ひいては「権貴資本主義」という歪んだ体制に進むのか、２つの可能性があると指摘している（「大家専訪呉敬璉」『経済導報』総No.3267 ,2012年５月７日）。

このような中国内部での「権貴資本主義」分析の妥当性については、なお検証が必要である。しかしながら、習近平氏による「統治の正統性（執政資格）の危機」への警告と併せて読む時、中国に進行している事態の一端を読み取ることができる。「人民大衆が強烈に反撥している党内の大問題が解決できなければ、わが党は遅かれ早かれ執政資格を失い、歴史によって淘汰されるのは避けがたい」（「人民日報」2016年７月２日）」。「党内の大問題」とは直接には「腐敗」の蔓延を指すが、習近平は別の場で「民衆が深く恨み、徹底的に嫌うこと」として、「形式主義、官僚主義、享楽主義、贅沢三昧」を挙げている（山本「中華人民共和国70周年に想う・シリーズ７『統治の正統性70周年から100周年へ』」『日中友好新聞』2019年10月15日）。

Ⅵ．課題設定６

井手による「中国はアメリカとともにアジアの軍拡を主導しているとみられている。中国の経済発展と豊かさへの前進は称賛に値するが、平和・軍縮・自由と民主主義の旗手たり得ていない」（『経済』2018年８月号）に同意する。そして、この課題解決がひとり中国だけに課せられたものではなく、日本の課題としてもあることを細部ではなく大筋で論じておきたい。

中国の先進国化に向けての「三段階発展目標（2020年小康水準の全面的達成、2035年社会主義現代化の基本的実現、2050年富強・民主・文明・調和の美しい社会主義現代化強国）の実現」を、経済的先進国化に即してみれば、大西は2033年にそれが達成されることを既に検証している（大西広編著『中成長を模索する中国―「新常態」への政治と経済の揺らぎ』慶應義塾大学出版会、2016年）。

この歩みは中国の経済的発展段階としてみれば、独占資本と金融資本および純資本輸出国化を達成しているという意味で、帝国主義段階を迎えようとしている、と判断することができる。この点について、大西は次のような意味で「中国帝国主義」を論じている（大西広「全人代を経た今後の中国の関係政策について」『アジア･アフリカ･ラテンアメリカ』No.694、2018年５月１日）。

＊中国は独占資本が国家と癒着した典型的な国家独占資本主義段階にある

＊遅れて登場したブラジル、ロシア、インド、南アフリカとBRICS同盟を形成。先

発帝国主義たる西側同盟と対峙している
＊この構図は、先発帝国主義と後発帝国主義との闘いであった第一次・第二次世界大戦の状況と酷似している
＊我々は帝国主義に時代に生きており、中国もまたその法則の中に存在する
＊ただし中国の「対外進出」はその中心は経済的外交的なものであり、軍事的なものではない。軍事力中心のアメリカと同じ扱いをしてはならない

ある対抗関係を提示することは無意味とはいえないが、後発帝国主義たる中国の「対外進出」は「経済的外交的」なものであって、アメリカとの対比で「軍事的」なものではないというのは、無規定的だと言わざるをえない。パクス・アメリカーナの地位を脅かす時代に突入しているのであるから、パワーポリティクスの視点に立てば、中国の軍拡路線は必然性を持ちうる。西へ西へとヨーロッパに至る経済圏構想としての「一帯一路」の展開にも政治・安全保障・軍拡問題がつきまとうのは当然である。

したがって、軍事力を背景にパクス・アメリカーナに執着しつつ、アメリカの過去の強さを示す自由競争と自由貿易に背を背け、保護主義と単独主義に走るアメリカとの対抗関係において、中国の対外政策の態様と特長を冷静に腑分けする分析が求められる。そしてこの問題を単に観察者として論評するだけに終わらせず、中国が東アジアと世界における「平和・反核・軍縮・自由と民主主義・環境保全」に向けて展開しうるために日本は何をなすべきかを主体的に検討し、実践する時代に入っていることの確認が求められている。

【事前の提出論考に関する質問とコメント】

芦田文夫氏より

なによりの問題関心は、「21世紀・社会主義」のあり方で、諸個人の権利と尊厳が基礎となり基軸となる、それらが協同（アソシエーション）しあって、対自然と対社会の諸関係を主体的に主人公として統治・制御していく。「20世紀・社会主義（あるいはそれをめざす）」は体制においても運動においても、「国家」が上から支配・包摂していく枠組みを脱し切れなかったが、「21世紀・社会主義」はそのような構造的あり方全体を逆転させていくべき時ではないのだろうか。それがいま「市場経済」導入の第2段階（生産諸要素・生産諸手段の市場経済化）で問われている「自由―民主主義」をめぐる具体的課題なのではないか。諸個人・民衆の自立性と同様に、企業など諸組織や地域のレベルにおいても自立性を保証し、とくに企業という生産の場においてその経営・管理の自立性と効率性を保ちながら、そこにおいても労働者や民衆が主人公として立派に統治・制御していける実を示していかなければならない。

【大西氏へ】　私は、自立した諸個人の協同（アソシエーション）によって物質代謝過程が主体的に意識的に制御されていく社会（社会主義・共産主義）と理解し、そのための前提は人間労働と生産諸条件との統一（取り戻し）という要因が欠かせない、と考える。逆に、資本主義にとっては両者の分離が欠かせない要因で（資本による剰余価値の取得）、それが分離することによって「資本の集積」と「生産の社会化」がもたらされ（もちろん機械制大工業という物質的基礎と相まって）、それに基づいて「アソシエーション」という資本主義を止揚していく人間の意識的協同関係、生産関係的な要因が形成されうる。大西氏の「機械制大工業」＝「生産手段・資本の蓄積」説は、「資本」の技術的・生産力的側面だけの強調になって、そこからストレートに資本主義か社会主義かの体制的規定を与えようとされる。マルクスの「資本主義的蓄積の一般的法則」に定式化されているような剰余価値増大の「一切の方法が個々の生産者の犠牲として行われ」（利潤第一主義）、「資本の蓄積に照応する貧困の蓄積を条件づける」ということとは離れてくる。さらに大西氏が、「市場経済」をめぐる問題を、体制の本質論的論議にとっては道具に過ぎないとされる問題である。私は、生産諸手段の市場経済化（第2段階）が以前とは異なる、人間労働と生産手段の運用、経営・管理との間の相互関係の問題を生みだすようになると考えるが。大西氏の「小民主」と「大民主」は、どのような社会経済構造的な相互関係にあるのか。

【井手氏へ】　井手氏も、社会主義・共産主義の本義として、「生産力―生活の向上、共同富裕」「社会的公正」「連帯、アソシエーション」「人間の全面的発展」の諸要素を挙げられる。中国の当面の段階としては「生産力―生活の向上」の強調は理解できるが、私はその「人間の全面的発展」や「アソシ

エーション」という問題のなかにマルクスによる（「労働・人間疎外」の第2の規定と第3の規定）、全ての人々が主体者として経済や社会の経営・管理・統治に関わっていくという内実が求められている、そこに「21世紀・社会主義」のあり方のキイ・ポイントあるのではないかと考える。そして、生産諸手段の市場経済化（第2段階）が以前とは異なる問題を生みだすようになるので、新たな「民主主義の制度化」（「パンフ」の10.に書いた3つの問題点）が必要ではないかと質問したのだが、どう考えられるか。逆に、中国では2012年頃から、この側面の軽視が起こってきているのではないかと危惧している。

【山本氏へ】　中国は「国家資本主義」であり、「市場経済が全面化する資本主義に向かっている」とされる。その理論的基礎として、人間労働の「外化」「物神化」過程を挙げられるが、私は「労働の疎外論」については、（論争があるように）その「物象化論」の一面だけですべてを覆うのではなく、『経済学哲学手稿』にあるような4つの規定内容に沿い、今の関わりでいえば労働と生産手段との分離に要点を置いて展開すべきだと考えている。そして、「20世紀·社会主義」で、労働と生産手段の経営·管理との官僚制的な分離は生じていたが、商品·「価値」関係は基本的に廃絶されており、したがって「剰余価値」追求も存在しえなかった、と考えている。山本氏は、中国は何時からどのような過程で資本主義に変化したと考えられるのか。中国の市場経済化の第1段階について、その「開発独裁」と日本の高度成長とは同類であって「社会主義的要件はとくに必要ない」とされるが、例えば農業と農村を解体し衰微させる資本主義的やり方とは質的に違うものがあるのではないか。市場経済化の第2段階についても、国家が上からうち出す「貧困の解消」や「労働契約法」「農民の戸籍制度改革」や「産業的－生活的インフラの改善」等々、新自由主義的な「資本主義に向かっての全面的な市場経済化」とは違うものがあるのではないか。最後に、このような「中国の国家資本主義」を民主主義的に変革していく道筋をどのように考えられるのか、中国の評価に違いがあろうともこれを具体化して論議していくことが課題であるように思われる。

第3部については、異なった社会経済制度の間での「制度の共役化」（「パンフ」012-013頁）の民主主義的原則との関連で考えてみたい。

井手啓二氏より

本シンポの「中国は社会主義か」というタイトルへの答えは大別すれば3つであろう。

芦田、井手は、社会主義、大西、山本は資本主義（国家独占資本主義、国家資本主義）と答える。どちらでもないとの第3の答えはない。

結論もだが、結論を導く論理が重要である。井手は、ソ連から始まった現存社会主義の歩みを、基本線においては中後進資本主義国でのマルクス社会主義論の忠実な実現とその挫折、改革・再生の試みととらえ

る。現存社会主義では、私的・資本主義的所有（資本—賃労働関係）の廃止、商品・市場経済の廃止、それに代わる社会的所有、計画的経済運営、労働に応じた分配の実現をめざして所与の歴史的条件のもとで制度構築がすすめられた。ソ連・東欧での長期にわたるこの試みは、成功せず、ここでの社会主義は崩壊・自滅した。

他方、中国、ベトナムは、経済的躍進を遂げている。この相違はソ連・東欧の経験ならびに自らの伝統的社会主義観念を根本的に再検討し、社会主義市場経済化路線に転換したことから生じている。現実から出発し、経済発展・生活向上を求める政策・制度の追求の答えが、「市場経済にもとづく社会主義」という古典とも自らの過去の実践とも異なる路線への苦渋の転換であった。「市場経済にもとづく社会主義」とは、欧米経済学にもマルクス経済学にも反するが、双方の経済学の方が不備であったのである。したがって、中国の現実をこれまでの経済学で説明することはできない。中国の経済学者には種々の理解があるが、多数派はそのように考えている。以上の経過を踏まえない理解では、中国の現実は、「国家資本主義」、「国家金融独占産業資本主義」、「官製資本主義」などととらえられ、「下部構造（市場経済）と上部構造（社会主義）の矛盾」、中国社会主義崩壊説が繰り返し唱えられることになる。

以上の井手の理解から、以下の４氏への質問がでてくる。

質問Ⅰ.　資本主義や社会主義の「定義」変更（大西、山本説）から、中国の現実を規定する試みは正しいとは考えられない。資本—賃労働関係・階級社会の揚棄を目指し、社会（人間）が主体としてマクロ・ミクロ経済制御をおこなう社会が社会主義社会である。

一般にみられる議論は、市場経済＝資本主義であり、市場経済導入は資本主義化と理解されている。だが大西、山本説はそうではない。社会主義をめざす、あるいは西側資本主義とは異なるとされている。しかしなぜか、中国の体制を「国家資本主義」、「社会主義をめざす国家独占資本主義」と規定するため、現実の制度を、資本—賃労働関係、階級関係など資本主義のカテゴリーを用いて説明することになり、現実把握にゆがみが生じる、と考える。井手は以上のように考えるが、各氏はどう考えておられるか？

質問Ⅱ.　中国の高成長は、あと数十年続くと考えられます。井手は、中国の高成長の理由は「後発性の利益＋社会主義制度の利益」と考えています。中国の高成長は社会主義制度を外しては考えられませんが、各氏のご見解は？

質問Ⅲ.　中国の社会主義混合経済は、GDPの３割弱、就業者の16％前後を占める社会化（国有化）セクター抜きには考えられず、これが中国の支配的・規定的生産関係を構成している。また中央政府、地方政府は有力な経済アクターとして登場し、単なる国家機構とは見做せない。さらに就業者7・7億人に占める2.8億人の農民工の存在は無視できない。

これらの点を各氏はどう考えておられるのか？

質問Ⅳ、 中国を資本主義と規定すると、

資本家階級、資本 - 賃労働関係の存在を語らねばならない。井手は、中国において資本主義セクターは、外資系企業、内資私有大企業として労働者・農民国家の規制の下で存在していると考えている（井手はこれを国家資本主義セクターとする）。

しかし、外資系企業は別として、内資私有大企業は、国家・社会基金出資がない（混合所有ではない）ケースの、出資構造、オーナー、経営者について詳らかにしない。ファウェイ（華為）などの従業員所有、華西村の250を超える企業の旧村民所有が典型的であるが、独特であるものが多い。企業者一族の同族支配も多いようだ。共産党員もしくはその支持者が起業・企業家であるケース（アリババ、万達など）も多く見られる。共産党や政府に協力する資本家はごく一般的とみられる。資本主義国では、赤い大資本家は全くの例外であるが、中国ではごく普通かと思う。

大西、山本氏に中国資本家階級、資本－賃労働関係をご説明頂きたい。

質問Ⅴ. 中国の党国体制、一党制、そして政治的民主主義欠落の歴史的起源、現状、解体の展望について各氏に伺いたい。井手はこれらは中央集権的行政的計画化制度と関連して生まれたのが一面、もう一面は中・後進資本主義社会の遅れから生じたと理解している。

大西広氏より

3氏に共通する質問

①「社会主義」か「資本主義」かという判断で私と山本氏の間に大きな相違はない。ただ、相違するか相違しないかは完全に「社会主義」や「資本主義」の定義に依存するという問題になってしまっている。ので、ここは各人が、その定義を採用する根拠を「史的唯物論」との関係を明確にしつつ述べてもらいたい。

芦田論文へ

①「マルクス理論」も発展するのだから、史的唯物論(+剰余価値学説)を維持しながらももう少し自由に「社会主義論」を展開してもいいと思う。それなしに「市場社会主義」の概念は成立しなかった。

②その「市場社会主義」の経験として中国の実験は基本はポジティブに評価されていて同意できる。しかし、質問の多くは「中国は社会主義かそうでないか」というものとは異なっている。「よい社会主義となっているか」「もっとよい社会主義はないか」という角度の議論となっていて、それは本シンポの課題とは異なるのではないか。

③もうひとつ、「よりよい社会主義」を目指そうとする真摯な態度は尊敬に値するが、いきなり社会を理想状態に持っていけない現実の下で、何らかの問題を抱え続けることもまた重要である。大きくは産業革命後に人類が資本主義を選択したということ自体、ある問題の解決を先送りしたことを意味している。もっと短いタームの問題であれば、日本の革新勢力は天皇制の打倒を当面の課題としていない。これは「天皇制がよいか悪いか」だけで当面のあるべき政策を判断できないことを意味する、現代の中国における民主主義の制約にもそれと似た側面がある。単に理想を語ることしか

できないのでは本当の政策論にならない。これは根本的な問題である。

井手論文へ

①マルクスには間違いもある、として市場的な社会主義も認めているのは正しい。

②しかし、「中国は社会主義か」という本来のテーマへの回答が書かれるべき第2節=「2 私は、なぜ中国を社会主義と考えているのか？」で中国を社会主義とする根拠は「社会主義をめざす社会的勢力が政治権力を掌握し、彼らが社会主義と考える政策を実施しているので」(p.14 左段) としか述べられていない。

これは「彼ら自身が社会主義と言ってるのだから社会主義だ」という論理。この議論を認めれば、北朝鮮は民主主義国家となる。

我々「3氏への質問とコメント」では「公有制主体」をもって「社会主義」と規定すると読める部分もあるが、書かれた箇所によって説明が違ってくるというのはいかがなものか。

③他方、P.16 右段、「経済成長率と所得上昇率を同じとするという政策を掲げる」ことを「社会主義をめざす国」としている。この規定は私の規定と同じである。しかし、「社会主義をめざす」というのと「社会主義」とは違う規定である。言い換えれば「社会主義」ではなく「社会主義を目指す国」と規定すべきでないか。

これは本日配布の「3氏への質問とコメント」で「資本 - 賃労働関係・階級関係の揚棄を目指し……社会が社会主義社会である」とされていることとも関わる。この定義であれば、資本賃労働関係が残存していても「社会主義」となる。こうした国家は「社会主義を目指す国」とすべきではないか。

④本日配布の井手氏からの追加のコメント・質問でも、旧ソ連・東欧や毛時代の中国の体制規定に関してレビューされている論者は多くが非マルクス派のものである。が、これは極めてマルクス理論的なテーマなので、参照されるべきは、日本で言えば中村静治、大谷禎之介、山口正之、中村哲といったもっと理論分野の研究者であるべきだと思う。

山本論文へ

①私は中国の「国家資本主義」は毛沢東時代であったとしているので、山本氏の議論と異なるが、「大きな政府型資本主義」との規定には賛成する。しかし、この「大きな政府型資本主義」の典型のひとつとして高成長期の日本を挙げるなら、戦前期の日本と比較されるべき毛時代の中国は「国家資本主義」と種別化するのが適当ではないか。

私は、

高成長期の日本 = 現在の中国　=「大きな政府型資本主義」

戦前期の日本 = 毛時代の中国 =「国家資本主義」

と規定する。

②質問ではないが、p.25 左段で私が市場原理の全面化をもって「社会主義に向かう物的基礎」としているとの誤解がある。私の「資本主義の終焉」の定義は資本蓄積の必要性の終焉である。

報告論文でも少し言及したが、私はこの日本でも左翼排外主義の増長する危険性が増していると感じている。香港問題を契機

とした「左」右一致の反中キャンペーンがそれである。この動きはトランプやルペン、ドイツのAfDなどといった西洋先進諸国における動きと本質的に同じであるとともに、過去に第二インターを解体させた各国共産党の国益第一主義とも相似している。可能であれば、この問題についてもシンポでは論じたい。

山本恒人氏より

井手啓二；

①山本は「課題設定Ⅰ—1」で、中国の体制を「大きな政府型資本主義である」(現状の認識、あるいは成功の事実の理解と説明)、「同－2」で「中国は「国家資本主義」である（理論的な規定)」とする見解をのべている。(いうまでもなく、以上の意味は中国の経済的先進国化が共産党政権のもとで達成されるという山本自身の展望と両立する)。井手は「中国社会を資本主義社会と規定する見解が『市場経済イコール資本主義』という謬論の上に成立している」と主張しているのに対して、山本は「『市場経済』、より正確には『市場原理』を超歴史的なシステムあるいは超歴史的な機能を有すると見なしている」と批判した上で、中国は「『市場原理が全面化する資本主義』に向かっている」と、あらためて「課題設定Ⅰ－1, 2」で述べたことを補完した(【巻末資料・山本】041頁右段下17行目～042頁左段上9行目)。ここで敢えて、とくに「市場経済を超歴史的に捉えている」という批判に対する井手の見解を、当面のいわゆる「社会主義市場経済」時期とその後に即してお教えいただきたい。

②「一党独裁、権威主義」に関連して、井手は「私は党国社会主義論である」(【巻末資料・井手】024頁右段上15、16行目)と述べている。井手の「中国社会主義」論に対する山本の最大の批判点はここにあり、「事前パンフレット」山本の「課題設定Ⅰ－3」において詳細に論じている。山本は批判の「まとめ」として「中国社会の『主体的要件』として『主権在党』的な意味での共産党の存在を、第一義に置き、中国の社会主義を中国共産党に仮託するのである」(【巻末資料・山本】041頁右段上7～11行目）と、締めくくっている。この批判は間違っているとお考えか、その場合、その根拠をお教えいただきたい。

大西広；

①井手に関する質問①に関連して、大西による中国を「市場資本主義」もしくは「独占資本主義」と捉える見解を肯定しての上だが、山本は「中国は以上の意味で『市場原理が全面化する資本主義』に向かっているのであると述べている。大西はそれをもって『社会主義に向かう』物的基礎として捉えるが、そのことをもって『社会主義に向かう中国市場資本主義』とするには論理の飛躍がある」と批判的視点を述べた。そこで見解をお聞きしたい。大西は、中国市場資本主義もしくは中国独占資本主義が「社会主義に向かう」際に、どのような変革プロセス（それを革命というかどうかには、山本は井手のようにはこだわっていない－【巻末資料・井手】024頁右段上4～6行目）を経ると展望しているのか。

芦田文夫；
芦田の[12月8日に質問を出すための予備的論点]にもとづき質問したい。それ以外の論点は芦田の山本への最終質問に沿って議論する。
①芦田は、「20世紀・社会主義」において労働と生産手段の経営・管理との官僚制的な分離は生じていたが、商品・「価値」関係は基本的に廃絶されており、したがって「剰余価値」追求の動機も目的も存在しえなかった、という。その場合「20世紀・社会主義」とはソ連・東欧に加えて中国を含まれるのであろう。「20世紀・社会主義」において「商品・『価値』関係が廃絶」された、という認識の最大の根拠は何か。
②芦田は、中国の市場経済化の第1段階について、山本はその「開発独裁」と日本の高度成長とは同類である、その成功の説明に「社会主義的要件は必要でない」というが、例えば農業と農村を解体し衰滅させる資本主義的やり方とは質的に違うものがあると指摘する。山本はこの段階での政策展開やその成果を高く評価するものの、議論の焦点はその場合の中国の展開のどこに「社会主義」の質を認めるかどうかにこそある、と思うがどうか。
③芦田は、市場経済化の第2段階についても、「貧困の解消」や「農民の戸籍制度改革」や「産業的－生活的インフラの改善」等々、新自由主義的な「資本主義に向かっての全面的な市場経済化」とは違うものがある、と指摘する。それでは中国の最新の政策決定（2020年1月施行）により、従来の農村集団的土地所有制を変更、農村土地所有への資本の参入が解禁されることになったが、これは生産要素市場の全面的成立の鍵のひとつとなると山本は考える。どう評価されるか。
シンポジスト全員に対して；
山本は、「事前パンフレット」の「課題設定6」の冒頭で、「井手による「中国はアメリカとともにアジアの軍拡を主導しているとみられている。中国の経済発展と豊かさへの前進は称賛に値するが、平和・軍縮・自由と民主主義の旗手たり得ていない」（『経済』2018年8月号）に同意する。そして、この課題解決がひとり中国だけに課せられたものではなく、日本の課題としてもある」と述べている。聴濤も大筋でこの点は一致するのではないかと述べている。シンポジウムとして、この点は確認できると思うがいかがであろうか。

聴濤弘氏より

私はコーディネーターなので発言は控え目にするが、「問題提起」のなかで中国をどうみるかを明確には述べなかったので、その点について発言させていただきたい。結論は「限りなく資本主義へ」である。二つ理由がある。

第一は市場経済についてである。市場経済を商品交換すなわち流通過程の問題として捉えるなら、それは古代共同体にも奴隷制度、封建制度にも存在した。そういう意味で「市場経済イコール資本主義」ではない。しかし市場経済は生産関係と無関係ではない。労働力（人間）すら商品化する資本主義的生産関係ができて市場経済は全面

的に開花した。社会主義が、需給関係の自動的調整、効率性の確保などの機能をもつ市場経済を利用することは積極的意味をもっているが、いま述べた生産関係の問題を無視すると資本主義に逆戻りする。このことはソ連・東欧諸国が市場経済を全面的に導入するとただちに資本主義に体制転換した事実が明瞭に証明している。中国では習近平政権が出来てから従来あった市場と計画化の関係についての論争に決着をつけ、資源配分において「市場の役割りが決定的」であるとした（2013年）。これを社会主義志向というわけにはいかない。

第二は生産力と生産関係についてである。江沢民政権のとき「三つの代表」思想が決定された。その第一は生産力の発展が「内容」であり生産関係は「形式」にすぎないとされ、「生産力を発展させることができるものは、すべて先進的な生産関係と見なされるべきである」というものである（高放ら『中国を知るための経典』 2012年）。生産力を発展させるうで一番適した生産関係は強烈な自由競争を本質とする資本主義である。日本（戦後の高度成長期）、韓国、台湾、香港、シンガポール、それにいまのBRICS諸国がそれを証明している。

以上の二点を合わせれば資本主義に行かざるをえない。硬直化した「２０世紀社会主義」からの脱却は当然であるが、生産手段の社会化（全分野ではないが）と人間の意識性とは社会主義体制の基軸である。中国が現実には生産力の発展により国民生活の向上を果たしたこと、貧困人口の縮小対策、農業発展の指導等々の措置がとられていることは積極的に評価されなければならないが、また理論的に述べた二点が今後どうなるのか、今後とも指導理念として堅持されるのかどうか分からない。しかしこの二点を「中国社会主義」の経済的基本とするならば行き着くところがどこかは明らかではないだろうか。いわゆる「管制高地」を国家が握っているので「社会主義が保障」されてるといっても市場の役割りが「決定的」となれば一層の民営化へとすすまざるをえないのではなかろうか。

そこで井手氏と大西氏に質問したい。私も井手氏と同様にマルクスが社会主義を商品・市場経済の否定として捉えたことは現実に合わないと考えており、氏がソ連時代から「社会主義市場経済化」を主張されてきたことに注目してきた。それでは今の中国の負の側面（汚職・腐敗、大富裕家の出現等々）は「社会主義市場経済化」が生み出したものなのか、それとも資本主義化が行き過ぎたためなのか？後者であれば今後、中国はどこへ向かうとお考えか？

大西氏は現在の中国を「私的資本主義」と規定されている。その根拠を資本主義の生産力的基盤は「道具」にかわる機械の出現にあることに求めておられるが、それでは社会主義の生産力的基盤とは何なのか？